Em tempos em que o evangelho de Jesus tem sido [...]teado e relativizado, Antônio Carlos Costa nos presenteia com um livro profundamente bíblico e atual, em que oferece os princípios imutáveis da graça de Deus para a nossa redenção, e os resultados práticos e inegociáveis que devem acompanhar essa tão grande salvação. Sua leitura muito contribuirá para que a Igreja contemporânea cumpra sua missão integralmente.

CARLOS ALBERTO BEZERRA
Pastor, conferencista, escritor e fundador da Comunidade da Graça. Membro da Academia Paulista Evangélica de Letras

Pastor Antônio Carlos Costa é um santo homem, que manifesta qualidades exponenciais: simplicidade, piedade, coragem, cultura, inteligência rara, criatividade, praticidade e, principalmente, o fato de ser um servo de Cristo, humano, que ama o próximo. Ele é aquele tipo de gente que chamamos, no sertão de Minas, de *uma sustança*! Seus textos nos movem a celebrar a graça de Jesus Cristo, que transforma fraqueza em força e usa instrumentos pequenos e limitados para manifestar seu imenso amor. Boa leitura, gente boa. Sua vida mudará para melhor.

JEREMIAS PEREIRA
Pastor da Oitava Igreja Presbiteriana de Belo Horizonte, MG

Antônio escreve credenciado pelo conhecimento profundo da teologia calvinista, aliado à paixão e à experiência de quem tem trabalhado corajosamente nas fronteiras mais desafiadoras do ministério pastoral, ao lado dos mais pobres e vulneráveis. Aborda em mais este precioso livro, de textos curtos e temática variada, pontos cardeais de uma vida cristã madura, em linguagem simples e grande profundidade bíblica, incluindo temas difíceis como a missão da Igreja e a ação política. Leitura indispensável para os que desejam compreender o que se passa com a Igreja evangélica brasileira e sonham com uma vida e uma Igreja de teologia bíblica profunda e sadia, acompanhada de vida cristã fervorosa, apaixonante, inspiradora e integralmente missionária.

TÉO ELIAS
Pastor da Igreja Presbiteriana Betânia
em São Francisco, Niterói, RJ

ANTÔNIO CARLOS COSTA

TEOLOGIA DA TRINCHEIRA
REFLEXÕES E PROVOCAÇÕES SOBRE O
INDIVÍDUO, A SOCIEDADE E O CRISTIANISMO

Copyright © 2017 por Antônio Carlos Costa
Publicado por Editora Mundo Cristão

Os textos das referências bíblicas foram extraídos da *Almeida Revista e Atualizada*, 2ª edição (RA), da Sociedade Bíblica do Brasil, salvo indicação específica. Eventuais destaques nos textos bíblicos e nas citações em geral referem-se a grifos do autor.

Todos os direitos reservados e protegidos pela Lei 9.610, de 19/02/1998.

É expressamente proibida a reprodução total ou parcial deste livro, por quaisquer meios (eletrônicos, mecânicos, fotográficos, gravação e outros), sem prévia autorização, por escrito, da editora.

CIP-Brasil. Catalogação na publicação
Sindicato Nacional dos Editores de Livros, RJ

C87t

Costa, Antônio Carlos
    Teologia da trincheira: reflexões e provocações sobre o indivíduo, a sociedade e o cristianismo / Antônio Carlos Costa. - 1. ed. - São Paulo: Mundo Cristão, 2017.
    192 p.; 21 cm.

    ISBN 978-85-433-0210-2

    1. Vida cristã. 2. Teologia. I. Título.

16-38195
                            CDD: 248.2
                            CDU: 248

Categoria: Cristianismo e sociedade

Publicado no Brasil com todos os direitos reservados por:
Editora Mundo Cristão
Rua Antônio Carlos Tacconi, 79, São Paulo, SP, Brasil, CEP 04810-020
Telefone: (11) 2127-4147
www.mundocristao.com.br

1ª edição: fevereiro de 2017

Aos amados Tony Pinho e Kátia Pinho, que me ajudaram, com lealdade, paciência e perseverança, a realizar um dos mais importantes sonhos da vida de um ministro do evangelho: plantar uma igreja. A Igreja Presbiteriana da Barra e eu somos eternamente gratos a vocês, queridos amigos e irmãos.

Creio

1. A felicidade humana depende da existência de um ser infinito-pessoal. Sem Deus, o cobertor é curto e o frio, insuportável.
2. Ninguém falou de modo mais sublime sobre Deus do que Jesus.
3. O amor redentor de Deus, revelado pelo evangelho, é a história de amor mais bela que existe.
4. Para sobreviver, a democracia — melhor forma de governo já concebida pelo homem — depende de educação, liberdade, igualdade social, participação popular, cumprimento dos pactos e defesa dos direitos humanos.
5. Separar Deus de religiosidade é condição indispensável para que o homem não perca o encanto pelo Criador.
6. A propensão humana à mentira e ao egoísmo só pode ser vencida pela graça de Deus.
7. A vida é dura, curta e incerta.
8. A excelência da alma é medida pelo objeto do seu amor. Não há ser mais digno de ser amado do

que Deus. Devemos amá-lo e a tudo o que ele ama. Essa é a essência do verdadeiro compromisso ético.

9. O amor misericordioso é a expressão mais basilar da verdadeira experiência de conversão. Quem não se compadece do pobre e do necessitado nega a fé.

10. A beleza do universo revela a glória do Criador.

ANTÔNIO CARLOS COSTA

Sumário

Agradecimentos	11
Apresentação	13
Prefácio	16
Introdução	19
1. Teologia da alma	23
2. Teologia da santificação	61
3. Teologia da missão	93
4. Teologia da razão	125
5. Teologia da *polis*	157
Conclusão	185
Notas	187
Sobre o autor	189

Agradecimentos

Os anos durante os quais escrevi este livro foram os mais intensos da minha vida. Entrei num mundo que eu desconhecia munido da minha fé no evangelho, a fim de enfrentar uma realidade para a qual eu não havia sido preparado. Madrugadas em claro, temores, lágrimas, orações, enterros de vítimas da violência, perplexidade, manifestações de rua, protestos, sermões, pregações, aconselhamentos, entrevistas, evangelização de traficantes de drogas, envolvimento com o mundo das prisões brasileiras, pressão política nos palácios. A família e a igreja pagaram um alto preço. Ambas tiveram de aprender a conviver com a minha ausência, com os efeitos do meu contato com as injustiças sociais sobre o meu comportamento e com as mudanças na direção do ministério que Deus me incumbiu de realizar. Sem o amor paciente de minha mulher e meus filhos e dos membros da Igreja Presbiteriana da Barra, o que mais amo na vida seria destruído. A eles a minha mais profunda gratidão.

Não poderia deixar de fazer menção aos amigos da Editora Mundo Cristão, Mark Carpenter, Renato Fleischner e Maurício Zágari, responsáveis por meu nascimento como escritor no Brasil. Parabéns por investirem, com alto padrão de excelência, em um autor nacional. Coisas boas podem vir de Nazaré! Pode ser, portanto, que haja boa teologia no sul das Américas — teologia com cheiro de feijão preto, gosto de tapioca, cara de jabuticaba; teologia elaborada pelo pastor que, no caminho de sua casa para a igreja, passa por cinco favelas, é confrontado por crianças pedindo esmolas e vê corpos crivados de balas estendidos no chão.

Apresentação

O teólogo britânico John Stott disse certa vez: "É impossível ser verdadeiramente convertido a Deus sem ser, por meio disso, convertido ao próximo". Essa afirmação resume com bastante propriedade a vida e a obra de Antônio Carlos Costa. Esse surfista, filho de policial, vivia para si e seus interesses até ser convertido ao cristianismo e, assim, passar a viver para Deus. À conversão seguiu-se a vocação, e Antônio tornou-se pastor presbiteriano. À vocação seguiu-se a convulsão: o contato com a miséria, a injustiça social, a violência, as lágrimas e a desgraça do ser humano convulsionou a tal ponto a cosmovisão e a teologia de Antônio que ele se viu arrastado para um tipo de cristianismo diferente do que vivera até então — aquele que olha para o próximo e sua dor e é incapaz de manter-se indiferente ou apenas restrito ao campo das palavras, sem atitudes.

Nascia o ativista. E, com ele, a Rio de Paz, ONG dedicada aos direitos humanos, à justiça social e ao exercício do amor, sem o qual Stott afirma que "a personalidade humana se desintegra e morre". A vida de Antônio nunca mais seria a mesma.

Hoje, Antônio Carlos Costa é um indivíduo singular no cenário brasileiro. Pastor, raramente é visto de toga, colarinho clerical ou terno e gravata, mas frequentemente pode ser encontrado de *jeans* e sapatos sujos da lama da favela. Calvinista convicto, recusa-se a coadunar com o calvinismo que vira a face ao que Calvino escreveu sobre justiça social. Presbiteriano, prega em igrejas das mais variadas denominações e linhas doutrinárias, a fim de levar, sem restrições, a mensagem do evangelho em que acredita. Cristão, foge com todas as forças de rótulos político-ideológicos como "marxista", "neoliberal", "de esquerda" e "de direita", buscando um posicionamento pouco compreendido por uma sociedade apaixonada por rótulos, facções e dissensões. Ativista, confessa-se incapaz de enxergar a luta pela dignidade humana dissociada do evangelho que ama, seguindo o pensamento de Stott: "Os seres humanos se tornam mais dignos quando estão adorando a Deus".

Muitos discordam das ideias e ações de Antônio; outros tantos tiveram o pensamento e a vida transformados por elas. Muitos o rotulam e desqualificam; outros compreendem sua luta e o admiram. Seja como for, é impossível ter contato com a paixão desse homem e sair impassível. Se, por um lado, a ação e a pregação de Antônio incomodam alguns, por outro a sua convulsão mostra ser contagiosa: por onde ele passa e prega, deixa pelo caminho convertidos ao tipo de cristianismo que enxerga o Cristo, acima de tudo, no carente e necessitado.

O primeiro livro de Antônio Carlos Costa pela Editora Mundo Cristão, *Convulsão protestante*, impactou multidões — literalmente. Nos eventos que se seguiram ao lançamento da obra pelo Brasil afora, foi possível ver gente de olhos molhados, relatando como sua visão de mundo, reino e vida fora transformada pelo testemunho do pastor-ativista. Quando se escuta atentamente o que essas pessoas dizem, fica claro que, mais do que a influência de um homem, o que as impactou foi a forma como ele vê o Cristo e a proposta do Cristo para a humanidade e a igreja. Confirma-se, assim, outra máxima de Stott: "Testemunho não é sinônimo de autobiografia. Quando estamos realmente testemunhando, não falamos de nós mesmos, mas de Cristo".

Por que mencionar tanto John Stott? Porque Antônio o considera sua maior influência dentre os pensadores cristãos. O teólogo britânico partiu deste mundo sem saber quanto seus livros influenciaram a vida do discípulo brasileiro, mas penso que não seria exagero dizer que, sem a influência dos escritos de Stott, o Antônio Carlos Costa que conhecemos hoje não existiria. Este é o poder dos livros: eles transformam cosmovisões e trajetórias. Convulsionam vidas. Quando um cristão apaixonado pela causa do evangelho não só a vive intensamente, mas põe no papel suas motivações para vivê-la como a vive, o resultado são milhares de leitores tocados e para sempre transformados.

O desejo da Mundo Cristão é que este livro promova em você o que os livros de Stott promoveram em Antônio: uma reflexão que, se positiva, leve à transformação e à ação. E, quem sabe, após a leitura desta obra, nasçam novos *Antônios* pelo Brasil afora, dispostos a devotar a vida apaixonadamente a Cristo e ao próximo, cumprindo, assim, o maior de todos os mandamentos: *amar*.

Boa leitura!

MAURÍCIO ZÁGARI
Editor

Prefácio

Era uma tarde fria e escura de inverno. Eu e Thiago, meu filho, fomos à ótica para buscar seu primeiro par de óculos. No retorno para casa, a primeira surpresa, ao chegar à estação de metrô. Thiago disse: "Pai, aqui é muito colorido!". Ele se referia às muitas propagandas espalhadas por toda a extensão da plataforma de embarque, algo que sempre estivera ali, mas que ele não percebera. Chegamos à nossa estação, subimos até a rua e, ao atravessar um parque, ele começou a indicar os muitos detalhes que nunca havia visto e que, então, ele conseguia visualizar. O que ele apontava sempre estivera ali, mas agora seus olhos tinham sido abertos para uma nova realidade. O mesmo acontece conosco. Quantas coisas estão diante de nós e nossos olhos simplesmente não percebem? O caminho pode ser "conhecido", mas a familiaridade não nos assegura uma percepção adequada do cenário ao redor.

As Escrituras Sagradas destacam dois momentos especiais em que "os olhos foram abertos". O primeiro está descrito em Gênesis, quando Adão e Eva comem do fruto proibido: seus olhos se abrem para a realidade do afastamento de Deus e, assim, eles percebem que estão nus. Outro momento em que olhos são abertos está descrito em Lucas, quando o

PREFÁCIO | **17**

texto narra o encontro de Jesus com os discípulos no caminho de Emaús. Eles estão triste, pois aquele que eles criam ser o resgatador de Israel havia sido crucificado e morto. A tristeza cobria seus olhos e nublava sua perspectiva de vida. Tendo caminhado com Jesus, sem conseguir identificá-lo, eles o convidam para se hospedar com eles. À mesa, ao ver o Senhor tomar o pão, abençoá-lo, parti-lo e lhes entregar um pedaço, seus olhos são abertos e, enfim, o reconhecem.

Em Gênesis, os olhos se abrem num momento de rebelião e a morte encontra o seu marco inicial entre nós. Toda a criação submete-se à realidade do momento. Em Lucas vemos outra realidade, na descrição da primeira refeição da nova criação: os olhos são abertos para reconhecer o Senhor que venceu a morte e destruiu a maldição do Éden. É o Senhor ressuscitado, sinal do novo mundo, da esperança de novos céu e terra. A experiência faz com que os discípulos voltem para Jerusalém, passando por um caminho conhecido mas visto, então, sob nova perspectiva.

Tive o privilégio de me tornar amigo de Antônio Carlos Costa logo após sua conversão, no início da década de 1980. Éramos jovens em busca de um rumo para nossa vida. Ver o amor daquele surfista pelo evangelho e por Jesus era empolgante e encantador. Nossas conversas eram regadas por duas paixões, que compartilhamos desde então: o amor pelos livros e o desejo de pôr em prática o que descobríamos como realidades imperiosas das boas-novas de Cristo. As experiências compartilhadas nos levavam do riso às lágrimas discretas, dada a característica de nosso ímpeto juvenil, muito bem intencionado, mas pouco experiente, em nossa forma de participar da *missio Dei*.

A obediência missionária nos levou a lugares distintos, privando-nos da íntima companhia e de maior proximidade. Isso, contudo, nunca me impediu de ter acesso às notícias sobre como aquele surfista apaixonado por Jesus encontrou caminhos variados para expressar o amor que lhe tinha aberto os olhos de tal maneira que sua vida nunca mais poderia ser igual. Tempos depois, para minha alegria, nos reencontramos, e o que pude ver é que, assim como os discípulos no caminho de Emaús, o coração de Antônio seguia ardendo e seus olhos brilhando pela riqueza do evangelho de Jesus. Ao ouvi-lo facilmente se percebe como ele se dedica a criar oportunidades para que, por todos os meios possíveis, outros olhos se abram.

Foi essa a sensação que tive ao ler esta magnífica obra. A leitura provocou em mim um aprofundamento no processo de seguir abrindo os meus olhos para as riquezas do evangelho, começando pelo que há de mais profundo em mim (a teologia da alma); passando por uma forma íntegra de viver (a teologia da santificação), de agir (a teologia da missão) e de pensar (a teologia da razão); chegando até a dimensão pública da fé (a teologia da *polis*).

Agora que você tem este livro em mãos, minha oração é que, pela bondade e misericórdia do Pai, com o auxílio do Espírito Santo e para a glória de Jesus Cristo, os seus olhos sejam abertos, a sua percepção da realidade seja ampliada e a esperança aqueça o seu coração e faça brilhar o seu olhar, aonde quer que o Senhor o conduza.

Um simples objeto permitiu uma visão melhor a meu filho. Gestos simples permitiram aos discípulos reconhecer o Senhor. Que estas simples palavras, no poder do Senhor Jesus, abram os seus olhos.

Uma boa e abençoada leitura!

ZIEL MACHADO
Pastor da Igreja Metodista-Livre Nikei e diretor
acadêmico do Seminário Servo de Cristo, em São Paulo (SP)

Introdução

Esse livro foi escrito em meio ao furacão que passou pela minha vida a partir de 2007. Outubro de 1982 foi a época da minha decisão consciente de me tornar cristão, seguida da opção imediata por dedicar-me completamente à divulgação da mensagem do cristianismo. Larguei a ideia de ser jornalista e assumi o compromisso de me tornar pastor. Entre 1982 e 2007, procurei me dedicar quase exclusivamente ao estudo da fé cristã e à sua proclamação. Mergulhei na teologia reformada e saí para plantar igrejas, fundar seminário teológico, pregar pela televisão, formar pastores, escrever livros e muito mais.

Mas, em 2007, meu ministério sofreu uma guinada radical: profundamente abalado pela injustiça e pelos desmandos de um mundo marcado pela desigualdade, passei a me dedicar ao ativismo em prol da justiça social, partindo para o *front* da guerra por uma sociedade mais humana. Foi quando fundei a ONG Rio de Paz, o que me levou a sair do templo e ter contato com um mundo que eu desconhecia. Desde a manifestação em que fincamos cruzes na areia da praia de Copacabana para protestar contra a letalidade no Rio de Janeiro, minha vida passou por mudanças que eu jamais imaginaria. Nunca pensei que vivenciar o cristianismo

20 | TEOLOGIA DA TRINCHEIRA

fosse me envolver em tantos problemas, fazer-me passar por tamanhas aflições e exigir de mim uma dose de coragem muito além do que eu poderia cogitar.

Conforme expus no livro *Convulsão protestante*,[1] passei a ter contato com entidades e realidades tão distintas como a de meios de comunicação, favelas, tráfico de drogas, polícia, parentes de vítimas de violência, pesquisadores, universidades, movimentos sociais e política. Isso me forçou a ler bem menos teologia e me concentrar mais em temas como segurança pública, direitos humanos, controle social, política, sociologia, antropologia, história e jornalismo. Passei a conhecer a realidade do diálogo pluralista. Tive de encarar dilemas éticos sobre os quais jamais havia pensado. Os anos de imersão na teologia reformada foram terrivelmente confrontados. Ancorado na fé da qual não abri mão, tive de responder a questionamentos sobre temas diferentes, vindos dos mais variados tipos de pessoas.

Passei a me envolver profundamente com as redes sociais. Centenas de artigos foram redigidos nesse período. Era eu chegar da favela, do enterro de alguém que havia sido assassinado, de uma manifestação pública ou da igreja e já me sentava em frente ao computador para escrever, tanto para cristãos quanto para não cristãos. Meus artigos começaram a ser publicados em *websites* e jornais de grande circulação no Brasil. Acabei tornando-me jornalista.

Membros de diferentes denominações evangélicas passaram a esperar que eu me posicionasse sobre os mais variados assuntos. Boatos sobre minhas preferências políticas, ideológicas e teológicas começaram a surgir, e eu me sentia mal compreendido. Minha adesão à fé reformada me impedia de fechar com as leituras da realidade feitas pela esquerda e pela direita, pois, a meu ver, nenhuma delas

INTRODUÇÃO | **21**

interpretava corretamente o mundo — muito menos oferecia soluções exequíveis. Curiosamente, o calvinismo me fazia ser visto pelas pessoas como progressista e conservador, direitista e esquerdista, pacifista e anarquista — tudo ao mesmo tempo. Penso que é da natureza da fé, dada a amplitude de pensamento do evangelho, que o cristão seja objeto de contradição. O cristão é indomesticável, teimoso, e vê tudo como camisa de força, exceto a revelação de Deus em Cristo.

Comecei a viver o universo do ativismo, sem abrir mão do ministério pastoral. Continuei a pregar regularmente na igreja local, a Igreja Presbiteriana da Barra, e a viajar pelo país a fim de ministrar nas mais diferentes denominações evangélicas. O Rio de Paz abriu portas dentro e fora da igreja de forma surpreendente. Meu calvinismo se vê forçado a conversar com todos e sobre quase tudo, no templo e na rua.

Na mesma época, tornei-me pai pela terceira vez, quase vinte anos depois do nascimento de meu filho Matheus. Minhas emoções passaram a ir do inferno do mundo do crime ao céu do sorriso de Alyssa.

Esta obra é, portanto, fruto desses anos de pressão vinda de todos os lados, por dentro e por fora, nos quais provei da fidelidade divina e da solidariedade humana; sofri muitas tentações; entrei em contato com minha miséria; vivi lutas na família por causa da minha ausência; tive explosões de raiva, choro e melancolia; enfrentei crises de desesperança; e experimentei decepções.

Este livro foi escrito na trincheira. Seu conteúdo toma por base reflexões e artigos que escrevi, agrupados por temas e revisados — e que são mais atuais do que nunca. Meu desejo é que este mosaico de ponderações, desabafos e afirmações contribua, cada pedaço individualmente e na soma das partes, para levá-lo a uma reflexão saudável — e provocá-lo à ação.

O que você verá ao longo das páginas seguintes é fruto da tentativa de um cristão calvinista de levar a fé que julga expressar o pensamento de Jesus Cristo às últimas implicações práticas, nas mais diferentes áreas da vida. Espero que esta obra o ajude a viver uma saudável e profunda convulsão!

1

Teologia da alma

Depois que ensinamos, desse modo, a fé em Cristo, ensinamos, também, a respeito das boas obras. Visto que te apropriaste pela fé de Cristo, por intermédio de quem te tornaste justo, vai, agora, e ama a Deus e ao próximo. Invoca a Deus, dá-lhe graças, prega, louva, confessa-o, faze o bem e serve ao próximo, faze o teu dever. Essas são, verdadeiramente, as boas obras que manam dessa fé e brotam na alegria do coração porque recebemos, gratuitamente, remissão dos pecados por causa de Cristo.

Toda a cruz e o sofrimento que se devem carregar depois são suportados suavemente. Porque o jugo que Cristo impõe é suave, e o fardo é leve. Pois, quando o pecado foi perdoado e a consciência foi libertada do peso e do aguilhão do pecado, o cristão pode, facilmente, suportar tudo. Ele, voluntariamente, faz e sofre tudo porque dentro dele tudo é suave e doce. Definimos, pois, como cristão não aquele que tem ou não sente o pecado, mas aquele a quem Deus não imputa o pecado por causa de sua fé em Cristo. Essa doutrina traz consolo eficaz às consciências verdadeiramente apavoradas.[1]

Martinho Lutero

Há uma doçura e uma suavidade na vida cristã difíceis de ser descritas para quem não conhece o Salvador. Você tem de ser membro do Corpo para experimentar o que a alma do cristão prova na presença de seu maior objeto de amor: Jesus. Somente sendo um ramo da videira é possível viver acima das leis dos homens e dos próprios mandamentos divinos, a fim de ouvir diariamente o Salvador dizer: "Onde estão aqueles teus acusadores? Ninguém te condenou? [...] Nem eu tampouco te condeno; vai, e não peques mais" (Jo 8.10-11).

Agora a alma é livre para servir a Deus. Não como um escravo trêmulo de medo serve ao seu senhor, mas como um homem se dedica à mulher de sua vida, um filho obedece a um pai amoroso e quem escapou de uma tragédia honra quem o salvou da morte. A criação vira motivo para o louvor. A alma celebra chuva, trovões, relâmpagos, neve, canto de pássaros, lua, estrelas, ondas do mar. Tudo a faz recordar do amor do Criador — visto, agora, como Pai.

Este capítulo é dedicado a refletir sobre as consequências práticas do evangelho para o campo das afeições humanas.

A paternidade e o amor de Deus

Tenho uma relação pouco compreensível com meu nome. Talvez haja uma explicação psicanalítica para ela, não sei ao certo. Chamo-me Antônio Carlos. Algumas pessoas queridas me tratam pelo nome completo, "Antônio Carlos". Outras se referem a mim como "pastor Antônio Carlos". No meio presbiteriano, há quem, respeitosamente, se dirija a mim por "reverendo Antônio Carlos". Quando alguém me chama de "Antônio Carlos", sinto que essa pessoa não me é íntima. Se me chama de "pastor Antônio Carlos", a distância aumenta. E, quando sou tratado como "reverendo Antônio Carlos", sinto a pessoa mais afastada ainda.

Gosto de ser chamado de "Antônio". Todos os meus amigos íntimos chamam-me de "Antônio", assim como meus irmãos, minha mãe e minha mulher. Amo ser chamado de "Antônio". Quando alguém me trata pelo meu primeiro nome, tenho a impressão de que essa pessoa me é próxima.

O evangelho revela que Deus tem esse mesmo sentimento. Ele ama ser chamado, simplesmente, de "Pai". Em certa ocasião, os discípulos pediram a Jesus que os ensinasse a orar (Lc 11.1). O Senhor Jesus atendeu: "Quando orardes, dizei: Pai..." (v. 2). Que maravilha! A oração cristã começa com a percepção do fato notável e comovente de que estamos na presença de um ser doce, amável, descomplicado, paciente e bom. Um Deus cujo amor equivale ao de um pai pelo filho, elevado ao infinito.

Pai é o jeito cristão de se referir a Deus. A fim de revelar o que sente pelo seu povo, o Criador dos céus e da terra buscou nas relações humanas um sentimento que pudesse servir de referência para o seu amor. O evangelho o encontrou naquilo que sente um pai.

No seu infinito amor, o Deus Pai elege na eternidade os que haverão de herdar a salvação, envia o seu único Filho para ser morto no lugar deles, os regenera e converte por meio do poder do Espírito Santo, e, por fim, os sustenta pelo seu poder até a posse da redenção perfeita e eterna.

Não há Deus tão doce quanto o Deus do cristianismo. Essa doçura é especialmente sentida por aqueles que conheceram o amor do Pai e aprenderam a vê-lo como ele gosta de ser visto: Pai. Simplesmente, Pai.

Ele é Pai, e não avô celestial, como ressalta C. S. Lewis. Por ser Pai, Deus disciplina. Não é nada fácil ser objeto do amor divino, pois nosso Criador trabalha por meio do sofrimento dos seus amados filhos para que eles sejam participantes da pureza de Cristo. É um amor que quer a perfeita felicidade dos eleitos e anseia torná-los formosos em santidade.

O fato de os nossos pais, em algumas ocasiões, de modo contrário à natureza, não servirem de referência para esse imenso amor não muda o ponto e não altera a analogia. Ele é Pai além da expressão mais bela que possamos encontrar desse mesmo sentimento na vida de um homem. Não temos de necessariamente confundi-lo com o pai que temos ou tivemos dentro de casa.

Deus é um Pai capaz de amar com amor de mãe. Para aqueles que têm na figura materna uma referência maior de amor, a Bíblia nos autoriza a vê-lo como Deus que ama com amor maternal. Quem inventou o amor de uma mãe por um filho? Quem é o paradigma e a realidade última do amor materno? O profeta Isaías declara: "Acaso pode uma mulher esquecer-se do filho que ainda mama, de sorte que não se compadeça do fruto do seu ventre? Mas ainda que esta viesse a se esquecer dele, eu, todavia, não me esquecerei de ti" (Is 49.15).

Sei quanto a experiência de convívio com um pai que não soube amar pode ser dura para a vida de uma pessoa. Já tive de aconselhar como pastor uma moça que, quando criança, fora abusada sexualmente pelo próprio pai. Não é fácil, muitas vezes, para alguém que passou por dor emocional tão profunda entender a linguagem do Novo Testamento sobre o amor do Deus Pai.

Uma crise como essa, contudo, por mais que possa parecer insensível da minha parte, é puramente psicológica. Não tem a mínima relação com a verdade última. Deus não é o pai dessa pessoa. O problema seria sem solução se todos os pais do planeta fossem perversos, e, justamente por isso, Deus os tivesse utilizado como referência para termos uma ideia do que ele sente por nós. Aí não teríamos Deus Pai, mas uma "divindade" parecida com o Diabo. Nesse caso, nenhuma terapia haveria de funcionar, pois é péssima terapia aquela que nos priva do contato com a vida real.

No meu caso, creio que fui imensamente ajudado por Deus a compreender a paternidade divina por meio da minha experiência como pai. Quando meu primogênito nasceu, a primeira ideia que me ocorreu foi justamente esta: aí está alguém por quem sou capaz de dar minha vida, sem hesitação. Minha tarefa é pegar esse sentimento, que conheço bem, elevá-lo ao infinito e ter uma ideia do que Deus sente por mim.

Sugiro àqueles que passaram pela amarga experiência de relação conflituosa com o pai que não façam teologia com base na história pregressa de dor, mas que olhem para a relação do Deus Pai com o Deus Filho. No rio Jordão, o vemos falando para Cristo o que ele deseja dizer a você e a mim: "Tu és o meu Filho amado, em quem me comprazo" (Mt 3.17).

Esse é o Deus que deveria exercer fascínio sobre nós e nos fazer entrar e permanecer na fé cristã. No Pai de Jesus Cristo, encontramos infinitamente mais do que tudo quanto gostaríamos de encontrar em Deus. A palavra "Deus" não basta. Precisamos do acréscimo feito pelo evangelho: "Pai".

À luz dessa realidade, uma sugestão: não comece sua oração com os seus problemas. Antes de apresentá-los, medite. Procure trazer à sua memória quem é esse diante de quem você se prostra. Faça das suas primeiras palavras expressões de adoração, por estar na presença daquele que se revelou a você e a mim não apenas como o Todo-poderoso, mas como o Pai. O cristão não se relaciona com Deus, mas com o Pai,

Deus infinito em seu ser e atributos. Pai é o termo cristão para Deus, como ressalta o teólogo britânico John Stott.

Se você já se reconciliou com Deus por meio de Cristo, lembre-se de que ele o tornou filho, para que você viva na amorosa comunhão com o Deus que tem como música ouvi-lo chamar de "Pai". É assim que ele gosta de ser visto; é desse modo que ele ama ser chamado.

É importante ressaltar que apenas três pessoas eu não permito que me chamem de "Antônio": Pedro, Matheus e Alyssa. Meus três filhos.

▼ ▼ ▼

O cristianismo não pede para ninguém aprender a amar a si mesmo, mas pressupõe esse amor. Nascemos nos amando. Até mesmo quando nos boicotamos, o fazemos por amor a nós. O que o cristianismo nos chama a fazer é buscar compreender quanto somos amados *por Deus*. Ele pressupõe esse amor. Nascemos amados.

Quando conhecemos o amor de Deus por nós, não precisamos mais mentir, odiar e nos punir. O amor-próprio encontra finalmente sua mais profunda satisfação, que o egoísmo nunca poderá proporcionar. Ignorar o amor de Deus é o principal desperdício da vida, e é a raiz de todas as formas de maldade e infelicidade.

Desejo que você busque, hoje, compreender o que Cristo ensinou sobre o interesse de Deus pela sua vida. Essa é a grande mensagem do Salvador. "Ora, se vós, que sois maus, sabeis dar boas dádivas aos vossos filhos, quanto mais o Pai celestial dará o Espírito Santo àqueles que lho pedirem?" (Lc 11.13).

▼ ▼ ▼

A grande verdade sobre a sua vida é que você é amado. Você é objeto do amor daquele que na eternidade o sonhou e no tempo e no espaço o criou. Penetrar nesse amor, explorá-lo, desfrutar dele, usá-lo a seu favor e permitir que ele o torne livre dos seus frágeis mecanismos de proteção do ego — a fim de amar a Deus e ao próximo — é precondição para a felicidade. Trata-se da principal atividade da alma e do mais emocionante empreendimento da vida.

Pense na sua existência nua e crua, fruto de um glorioso plano elaborado em amor. Medite sobre o cuidado providencial de Deus, que preservou sua vida dos mais diferentes tipos de morte. Contemple o amor do Divino na ordem criada, e como todas as coisas foram harmoniosamente dispostas para seu encanto, conforto e alegria. Procure trazer à memória as pessoas que ele fez cruzar o seu caminho, por meio de quem Deus se tornou real para você, num mundo de lutas, incertezas e dor. Pense em Cristo, na sua verdade libertadora, no seu compromisso com a salvação do homem e no seu amor sacrificial.

Você e eu temos bons motivos para crer que somos amados.

▼ ▼ ▼

O cristianismo nos chama para viver o extraordinário. O ordinário pode ser feito por qualquer pessoa. Para amar quem nos ama não é preciso conversão. O que está além do ordinário é amar quem não nos ama. Esse amor não é natural. Para viver essa espécie de vida, é necessário o concurso da graça de Deus.

Deus é glorificado quando cristãos amam seus inimigos, oferecem o amor como resposta à maldade humana. A razão é clara: ao vivermos desse modo, praticamos o amor divino naquilo em que ele mais difere do amor humano. Em suma, ao fazê-lo, reproduzimos o caráter de Deus.

Não podemos, entretanto, confundir *amar* com *gostar*. Deus pede de nós amor benevolente por todos os seres humanos. Esse é o amor que nos leva a tratar com bondade o próximo, independentemente da excelência ou não de seu caráter. Já o amor complacente — aquele que vem acompanhado de deleite, em razão da excelência do objeto do amor —, só podemos ter por aqueles que de fato são amáveis. Somos, portanto, chamados pela Palavra de Deus a amar todas as pessoas, mas não a gostar de todas elas.

O amor é algo que se desenvolve com o exercício do amor. Não espere gostar para amar. Ame como se gostasse. No processo, você se perceberá amando. Quanto mais tratar com ódio, mais odiará. Quanto mais tratar com bondade, mais amará. Deus honra nossos esforços.

Talvez você esteja dizendo: "Isso é rematada hipocrisia!". Não há dúvida de que, ao agir dessa forma, você fará o que seus sentimentos pedem que não faça, mas será honesto com o seu coração regenerado que pede que você ame, ainda que seus sentimentos não o ajudem. Nós não temos de ser fiéis ao nosso coração duro. Temos de ser fiéis a Deus.

Graça

A salvação é gratuita, do início ao fim. Quando oro agradecendo a Deus pela minha salvação, o faço sem atribuir mérito a mim, pois a salvação do crente é obra do amor gracioso e soberano de Deus. Por outro lado, a perdição do pecador é resultado de sua escolha pessoal. Se disséssemos agora para o que rejeita a oferta de salvação que ele foi escolhido por Deus para viver num reino de santidade, justiça e louvor, isso em nada o comoveria. O céu não é o seu sonho.

O pecador é culpado por haver perdido sua liberdade de escolha entre o bem e o mal. O homem é culpado por não crer. É culpado por viver em pecado e por rejeitar a graça divina. O fato de Deus não o ter regenerado elimina sua responsabilidade pessoal? De modo algum. Ele é responsável por não ver sentido no evangelho, em razão de jamais ter visto a si mesmo como pecador. Ele é responsável por não ver excelência em Deus, por ver como enfadonho o culto que é devido a Deus.

Deus não é obrigado a salvar todos por ter salvado alguns. Se a salvação é uma questão de justiça, algo que o homem tem o direito de reivindicar perante Deus, não seria graça — favor imerecido. Deus não deve nada a ninguém. Não há razão para ficarmos admirados por Deus não salvar todos, mas salvar alguns, e isso, mediante o sangue do seu amado Filho.

Todos os cristãos acreditam na predestinação, pois esse termo se encontra na Bíblia. A questão não é se ela existe ou não; nunca se discutiu isso na história da teologia. O ponto é outro: qual é a base da predestinação? Presciência divina, por meio da qual Deus anteviu quem se salvaria e, então, decretou salvá-lo? Soberania divina, por meio da qual Deus decretou vida para homens e mulheres que estavam completamente mortos?

Pense na sua experiência. Há alguma conquista espiritual que possa atribuir exclusivamente a si mesmo? Você pode ver na sua vida passada algo que pudesse atrair o amor de Deus? Antes de se converter, você estava morto ou apenas dormia? Quando você presta culto de ações de graças, atribui sua salvação a Deus ou a si mesmo?

Se a salvação resulta de mera escolha, com base na previsão divina de boas obras a serem praticadas pelo potencialmente salvo, todo aquele que passou pela experiência de salvação deve olhar com espanto para a baita sorte que teve na vida. Um inacreditável acaso que culminou no nascimento de alguns seres humanos melhores do que outros. Se as coisas são assim, o amor de Deus pela sua vida não é eterno. Deus está jogando dados, olhando para o planeta como olhamos para uma partida de futebol, torcendo para o nosso time ganhar. Ele olhou para você, viu que aceitaria a oferta de salvação dele, e, então, o salvou. Puro acaso. Cristo poderia ter morrido na cruz inutilmente, pois a salvação não dependeria da vontade de Deus, mas do arbítrio humano. Todos poderiam rejeitá-lo.

Quando Deus escolheu Israel como povo de sua exclusiva propriedade, outras nações poderiam ter sido escolhidas, no entanto não foram. A salvação não veio de China, Pérsia, Grécia ou Egito, mas do povo que levava o código genético do patriarca Abraão. É evidente, à luz do Antigo Testamento, que essa gente foi levada a conceber o mais elevado culto, a prescrever a mais excelsa ética e a declarar o mais profundo amor pelo Criador. Estou apresentando fato para ser crido, e não para ser entendido. São verdades que recebemos, muito embora não as entendamos. "Mostra a sua palavra a Jacó, as suas leis e os seus preceitos a Israel. Não fez assim a nenhuma outra nação; todas ignoram os seus preceitos. Aleluia!" (Sl 147.19-20).

Não conheço doutrina mais incompreensível e encantadora do que a da eleição. O que ela nos ensina? Não somos sortudos, somos amados. "Quando, porém, ao que me separou antes de eu nascer e me chamou pela sua graça, aprouve revelar seu filho em mim..." (Gl 1.15-16).

▾ ▾ ▾

Ninguém perde a salvação. A Bíblia afirma que é impossível as ovelhas serem arrebatadas das mãos de Cristo: "As minhas ovelhas ouvem a minha voz; eu as conheço, e elas me seguem. Eu lhes dou a vida eterna; jamais perecerão, e ninguém as arrebatará das minhas mãos" (Jo 10.27-28). A mesma verdade é declarada pelo apóstolo Paulo: "Aquele que começou boa obra em vós há de completá-la até ao Dia de Cristo Jesus" (Fp 1.6). Essas são algumas das passagens que deixam a verdade absolutamente estabelecida.

Existem, porém, as doutrinas que deixam essa verdade claramente subentendida. A primeira delas refere-se à predestinação: ela ensina, inequivocamente, que a nossa salvação deve-se a um decreto eterno irrevogável. O amor de Deus por nós é antigo. Outra doutrina que estabelece o ponto em definitivo é a da regeneração. Ela ensina que a obra de Deus na vida do eleito é perfeita. Aquilo que a eleição estabeleceu na eternidade é levado a cabo por Deus, que escreve no coração do eleito a sua lei, dando-lhe um coração de carne no lugar de um coração de pedra. Outra doutrina pouco conhecida, mas de fundamental importância para a segurança dos cristãos, é a do pacto da redenção. Ela ensina que o Pai elege, o Filho dá sua vida na cruz pelo eleito e o Espírito o regenera, chama, santifica e glorifica (cf. Rm 8). Quem poderá invalidar o decreto do Pai, tornar nulo o sacrifício do Filho e desfazer a obra do Espírito na vida do eleito de Deus?

Vamos pensar na hipótese de um cristão perder a salvação. O que isso significaria? Que Deus pode deixar um filho seu se perder eternamente, embora saiba de antemão que este está prestes a perder seu bem maior. Esse não é o Pai cujo amor as Escrituras revelam. Crer na perda da salvação equivale a esvaziar Deus da sua glória.

É fato, fora de controvérsia, que o cristão pode passar por períodos de esfriamento espiritual. Nessas ocasiões, o que acontece com a sua vida? Ele perde a salvação? As Escrituras revelam crentes, em alguns pontos de sua jornada espiritual, se comportando como incrédulos. Ela os mostra como que privados, subitamente, da salvação de que gozaram? Não. Esse não foi o caso de Davi após a sua experiência de adultério, nem do apóstolo Pedro após haver negado Cristo três vezes. O que eles perderam não foi a salvação, mas, sim, a alegria da salvação. Por isso, voltaram, como sempre acontece com todo verdadeiro convertido, após uma fase de envolvimento com um pecado qualquer. A perda da alegria o faz ver o pecado como estupidez. Deus também tem seus métodos de trazer filhos rebeldes para casa. O amor de Deus é fogo consumidor. Pedir que ele nos ame significa também solicitar que nos discipline quando nos afastamos de seus caminhos.

Isso não significa que pastor, presbítero, diácono e evangelista não possam se afastar para sempre do evangelho. Mas quem disse que a totalidade de pastores, presbíteros, diáconos e evangelistas é convertida de fato? Um falso cristão pode ir longe em seu "cristianismo" de coração não transformado.

Seria tal doutrina um estímulo para um cristianismo sem vigilância? Estimularia o crente à prática do pecado? O regenerado não se sente no direito de ser muito mau porque Deus é muito bom. A obra da graça em seu coração — embora acompanhada de alguma corrupção da antiga natureza pecaminosa, que será totalmente destruída na glória eterna — é tão profunda que o verdadeiro crente continuaria a servir a Cristo, ainda que lhe fosse anunciado que demônios e inferno não mais existem.

Quando Deus elege, sua graça garante não apenas o arrependimento para a vida, mas uma vida de constante arrependimento, porquanto essa mesma graça faz o crente se ver na presença de um ser totalmente amável a quem se recusa entristecer. Já basta a dor de pecar contra o amor.

▼ ▼ ▼

O famoso pregador britânico Charles Haddon Spurgeon amava usar a expressão "nada trago em minhas mãos", a ponto de uma senhora da sua igreja enviar-lhe um bilhete com a seguinte reprimenda: "Senhor Spurgeon, estamos cansados de saber da vacuidade de suas mãos". O que ele queria era dizer que, quando comparecia diante de Deus, não levava as mãos cheias de boas obras a fim de comprar o favor divino, mas as apresentava vazias, para receber o que não poderia ser recebido de mãos cheias: o dom gratuito da salvação em Cristo.

O evangelho nos faz esta advertência: ou esvaziamos as mãos, largando de vez a ideia de salvação meritória, e assim recebemos o presente da salvação, ou as mantemos cheias, crendo que a salvação pode ser conquistada pelos nossos méritos — e assim deixamos de receber o presente da redenção.

O evangelho foi proclamado para esvaziar as nossas mãos, a fim de recebermos o que Deus só concede aos humildes de espírito, aqueles que nenhuma riqueza moral têm para apresentar a Deus no intuito de comprar o perdão.

▼ ▼ ▼

O apóstolo Paulo lança um alerta à Igreja quanto àqueles que fazem uma pregação suave e que afaga o ego: "porque esses tais não servem a Cristo, nosso Senhor, e, sim, a seu próprio ventre; e, com suaves palavras e lisonjas, enganam o coração dos incautos" (Rm 16.18). A pregação que não acalma os perturbados e não perturba os calmos não provém do evangelho. Em todo culto, o auditório é misto e contém pessoas carentes de perturbação ou de consolação. Isso dá uma ideia de por que pregar não é uma tarefa simples.

Quando subo ao púlpito para pregar, procuro lembrar que a viúva de Naim e o jovem rico estão sentados lado a lado. Há pregação que consola o jovem rico e perturba a viúva pobre. A primeira é feita pelos falsos profetas. A segunda, pelos fariseus.

A igreja de Corinto se orgulhava de sua compreensão da graça, o que a levava a estabelecer padrão ético inferior ao pagão. Pregar a graça é anunciar o amor que perdoa e o poder que transforma. Pregar a graça é oferecer perdão para o arrependido e não esperança para quem apenas tem medo do inferno. Pregar a graça é proclamar o seu socorro para quem deseja andar em santidade, e não sua consolação para quem fez pacto com o pecado.

Não é experiência de redenção verdadeira ter as lágrimas da culpa enxugadas pela graça para depois pecar de olhos secos. O pregador dever ensinar a graça, para que ninguém se utilize dela para justificar um padrão de vida pecaminoso.

A graça é gulosa. Ciumenta. Zelosa. Jamais se satisfaz com o perdão. Quer sempre tornar santo o que foi perdoado. A graça traz sempre muita liberdade — liberdade para amar o pobre, ser gentil com a esposa, perdoar os irmãos.

A graça anuncia sempre um maravilhoso perdão, mas não sem antes anunciar um terrível juízo. A encarnação da graça é Cristo, amigo do quebrantado de coração, que o perdoa e o ajuda a viver de modo agradável a Deus.

▼ ▼ ▼

Criaram no Brasil o deus-graça, como se esse atributo divino fosse autônomo, uma espécie de quarta pessoa da Trindade. Um ser mutilado que, para amar, tem de abandonar a justiça e a santidade.

O deus-graça perdoa os canalhas e os deixa entregues às suas canalhices. O deus-graça faz que os que não se arrependeram sintam-se bem consigo mesmos. O deus-graça é um amor! Seu "evangelho" é a boa-nova para todo aquele que quer glória sem cruz. O deus-graça não disciplina seus filhos. Nenhum dos seus seguidores deve se preocupar com esses radicalismos fundamentalistas.

Seguir o deus-graça é uma tranquilidade! Por que vigiar, se não há do que se arrepender nem o que temer? O deus-graça ensina que pelo fruto não se conhece a árvore e que a porta que leva à salvação é larga e muitos entram por ela. O deus-graça fala sobre amar a humanidade e lutar pela justiça, mas, dentro de casa, seus discípulos parecem não amar os seres humanos. O deus-graça é seletivo. Ele ama a todos e tolera tudo, menos aqueles a quem considera fundamentalistas.

A Bíblia e a história da Igreja estão cheias dessa teologia que vê o perdão como a única necessidade humana e desconsidera o que leva o homem a se sentir miserável: o pecado e a servidão a ele, desgraças das quais o evangelho do Cristo gracioso promete libertar o homem.

O risco antinomista (que repudia referenciais de certo e errado) sempre foi uma ameaça ao bem-estar da igreja, em razão da distorção cretina da doutrina mais bela das Escrituras, que nos fala de um Deus gracioso que perdoa pecado e liberta o homem do poder do pecado. Não anulo a graça de Deus. Repudio a ideia de o homem se sentir livre para ser muito mau porque Deus é muito bom, como certa vez disse o pregador e escritor puritano Thomas Brooks.

38 | TEOLOGIA DA TRINCHEIRA

A teologia da glória sem cruz, da visão beatífica sem santificação e do galardão sem trabalho duro ensina que tudo o que temos no mundo e nas igrejas são corações carentes de perdão. Sendo assim, na Alemanha de Hitler não se deveria confrontar os luteranos que apoiaram o nazismo. Na África do Sul do *apartheid*, os calvinistas que apoiaram o sistema de segregação racial não seriam chamados ao arrependimento. No Brasil de hoje, seria errado se levantar para apontar o pecado da igreja que, sem combater nem protestar, convive com violações dos direitos humanos, centenas de milhares de assassinatos e a desigualdade social.

Fé

A vontade de Deus é perfeita, declaram as Escrituras (cf. Rm 12.2). Ela nos aproxima do Criador, nos conduz a cumprir o propósito divino em nossa vida e é o maior consolo que temos na tribulação. Na hora da provação, é incalculável consolação saber que estamos na tempestade justamente pelo fato de termos sido obedientes.

Podemos conhecer a vontade divina mesmo na completa ausência de sinais espetaculares ou profecias. Podemos saber qual ela é de modo simples e racional, por estes quatro meios:

Leitura da Bíblia. Nenhuma direção de Deus para nossa vida haverá de nos levar a pecar.

Uso da razão. Deus lida com o homem com base nessa faculdade que distingue os seres humanos dos animais irracionais.

Recebimento de conselhos sábios. Deus costuma falar por meio de cristãos maduros.

Análise das circunstâncias. O Espírito Santo pode nos conduzir por sinais claros, emitidos pela providência divina.

Nem sempre, contudo, dispomos de todas as informações necessárias para que tomemos decisões com a absoluta certeza de quem teve acesso a todos os lados da questão. Muitas vezes, decidimos perante a névoa do imponderável. O cristão se vê diante de dois caminhos, igualmente difíceis ou fascinantes, nenhum dos quais representa alguma violação da vontade moral de Deus. Não fosse assim, essa pessoa não estaria perante um dilema real, mas diante de um caminho que teria de ser evitado (por ser pecaminoso) e um outro caminho a ser seguido (por ser a única opção para quem ama a Deus).

O que fazer nessas horas? Se temos de decidir, decidamos. Como dizia Maria José Elias, esposa do saudoso reverendo Antonio Elias, "não há carro cujo farol ilumine a estrada inteira". A estrada é iluminada à medida que avançamos. Nem sempre Deus revela de antemão o que tem reservado para aqueles que ele ama. O motivo é duplo: poderíamos ser conduzidos ao desespero (em razão das lutas que virão) ou à vaidade (em razão da extensão da vitória). Em muitas ocasiões, caminhamos sem enxergar um palmo à frente. Como? Pela *fé*.

A vida cristã é uma vida de fé. Fé é "a certeza de coisas que se esperam, a convicção de fatos que se não veem" (Hb 11.1). Não fomos enganados. O cristianismo sempre ensinou que seria exequível apenas na vida daquele que vivesse com base numa confiança implícita no amor de Deus. Isso é fé, algo que só funciona quando aplicado à vida. Como faço se não vejo nada, mas tenho de avançar? Sou pressionado a decidir. E, enfim, decido, crendo que, se Deus me fez entrar no barco para atravessar o mar, vou cruzar todas as tempestades, furar as ondas e chegar onde ele quer que eu chegue. Fé implícita! Tenho a Palavra de Deus, e isso me basta.

Que consolação para este mundo de mares perigosos e estradas sinuosas, escorregadias e escuras é saber que "Bondade e misericórdia certamente me seguirão todos os dias da minha vida; e habitarei na casa do SENHOR para todo o sempre" (Sl 23.6).

▼ ▼ ▼

Acompanhei o caso de uma excelente cristã que, durante anos, sofreu horrivelmente com um câncer metastático. Diversos de seus órgãos foram afetados. Em razão das dores insuportáveis, ela precisou tomar certo derivado da morfina. Aquela mulher pediu a Deus para levá-la desta vida. Sua fé não viu o milagre da cura, mas, em razão da forma como encarou o vale da sombra da morte, demonstrou que sua fé dispensava o milagre.

A fé nos habilita a crer no milagre ou a crer no milagre de viver sem milagre. Aquela cristã cria que o silêncio de Deus não era sinal de indiferença, mas de um amor que se manifestava de modo estranho, porém verdadeiro e santo. Ela sabia que a enfermidade incurável daria ensejo à sua entrada num reino onde toda lágrima seria enxugada. Ela partiu, firme na fé.

O céu do cristão é Cristo. O salvo anela deixar esta vida por querer a companhia de Jesus e, ao mesmo tempo, permanecer nesta vida para servir a Cristo. A fé o puxa em direção à terra e também em direção ao céu. Cristo é promessa de vida para antes e depois da morte. Cristo matou a morte e ressuscitou a vida.

▼ ▼ ▼

Toda oração é ouvida por Deus, mas nem toda oração é atendida por ele nos termos em que lhe apresentamos. Ele ouve as súplicas em razão de sua onisciência e de seu interesse pela vida do que busca a sua face, mas não responde a todas elas por causa de seu amor.

O amor divino leva Deus a sempre buscar a felicidade dos seus amados filhos. Porém, essa felicidade nem sempre coincide com a satisfação dos nossos desejos, mas, sim, com a satisfação das nossas necessidades. Desejos não devem ser confundidos com necessidades.

O fato é que podemos estar atraídos pelo que é bom por não conseguirmos conceber o que é excelente. Deus não reserva para o seu povo nada que esteja aquém do melhor que ele pode lhe conceder.

Vivemos pela fé. A fé verdadeira nos faz continuar vivendo, sem amargura no coração, por nos possibilitar saber que a oração não atendida está inserida num plano eterno, perfeito, imutável e santo, que visa à felicidade do crente e à manifestação do amor infinito de Deus.

Tentação, pecado e perdão

Não são poucos os cristãos que já caíram na armadilha de pensar que cometeram o pecado sem perdão, a blasfêmia contra o Espírito Santo. Se é o seu caso, não ligue para esses pensamentos. Cristo foi severamente tentado e não pediu perdão ao Pai pelas suas tentações. Não aceite a sugestão de que os pensamentos são seus. Eles vêm de fora para dentro. Não são seus.

Quem disser que enlouqueci, que estou indo de encontro ao que as ciências que lidam com a psique humana ensinam, saiba que estou apenas apresentando o claro ensino das Escrituras Sagradas, que falam sobre o fenômeno da tentação.

Um mau pensamento, obviamente, pode ser resultado de mera experiência psicológica. Ficamos tão fixados em determinado tipo de pecado que acabamos por levá-lo a se tornar recorrente. De uma forma ou de outra, quer seja uma armadilha da alma, quer seja obra demoníaca, é preciso enfatizar que a pessoa que se preocupa com isso não pecou contra o Espírito Santo, pois uma característica de quem praticou esse pecado é a completa falta de preocupação quanto ao fato de tê-lo cometido.

Não gaste tempo com os pensamentos que o fazem se sentir sujo. Quanto mais se preocupar com eles, mais eles permanecerão em sua mente. Eles não podem ser piores do que você se imaginar prostrado aos pés do Diabo prestando-lhe culto — algo que Satanás tentou levar o Filho de Deus a fazer, mas sem sucesso.

▼ ▼ ▼

Não apenas é possível, como é obrigação do homem, perdoar todo aquele que lhe pediu perdão. Nossa condição de pecadores não nos permite dar ao próximo uma espécie de tratamento que, caso nos fosse dispensado por Deus, representaria a nossa morte.

Perdoar alguém que pecou e se arrependeu é uma questão de sobrevivência neste planeta. Se não for assim, não saberemos lidar com nossa vida, pois somos uma fábrica de pecados; não teremos amigos, pois não há relacionamento que se mantenha sem perdão; e teremos de nos desfazer da Bíblia — ela é, afinal, um livro que contém declarações verdadeiras que procederam de homens que caíram, mentiram, traíram e mataram, mas que choraram, se arrependeram, confessaram e largaram o pecado por amor a Deus.

O limite que você deve impor no exercício desse perdão é o limite do próprio amor — que, por natureza, não tem limite. Só há uma exceção, que não significa impor limite ao amor pelo próximo, mas impor limite ao abuso do amor cometido pelo próximo. Essa exceção existe quando a pessoa que pecou contra nós vive na prática sem arrependimento do pecado, revelando comportamento incorrigível e abusando do amor cristão. Afinal, o amor nunca estimulará o crente a deixar-se enganar.

Mesmo assim, o amor que tem a Deus como referência continuará abençoando os que amaldiçoam, bendizendo os que maldizem, intercedendo pelos que perseguem e amando os inimigos. Isso glorifica a Deus, revela o evangelho e salva-nos de nos tornarmos vítimas do ressentimento. Como alguém já disse, quando não perdoamos, lançamos quem errou contra nós numa prisão, em que o carcereiro somos nós.

▼ ▼ ▼

Quantos amam a verdade a ponto de ficar do lado dela contra si mesmos? Quem é capaz de admitir que encontra em si os mesmos males que percebe em quem mais odeia? Imagine uma pessoa que veja em sua vida as mesmas sementes do mal responsáveis por guerras e grandes injustiças sociais. Sua ira secreta contra Deus perde a razão de ser ao perceber que os próprios sofrimentos são fruto de suas decisões pecaminosas e que o coração bate e o sangue circula pelas artérias por um ato de imensa condescendência divina.

Os que conhecem o amor de Deus são os mais propensos a ser honestos consigo mesmos. Quem sabe que o arrepedimento seguido de confissão remete a alma para os braços de um ser infinitamente misericordioso não precisa mais viver nas trevas do autoengano, imputando à vida, ao homem e a Deus seus erros e frustrações. Conhecer a natureza doce de Deus faz abrir os porões do inconsciente. Não seríamos tão mentirosos se conhecêssemos o Deus Pai revelado por Cristo.

Confesse o amor de Deus. Confesse seu erro. Largue o pecado. Largue-se em Deus.

Aliança conjugal

É evidente que mesmo um cristão pode se casar com a pessoa errada. Ocorre muitas vezes, por exemplo, de o crente em Jesus, em razão da pressão sexual da juventude, casar-se cedo demais, numa fase da vida em que dispõe de poucos subsídios para fazer escolhas definitivas com prudência.

O tempo passa e, quando esse cônjuge se torna mais velho, percebe que a pessoa com quem se casou na juventude é bem diferente do que ele próprio veio a se tornar. Pode acontecer de um dos cônjuges parar no tempo, não evoluir como pessoa, não se desenvolver emocionalmente, não crescer em santidade. Pode ocorrer de surgir em sua vida alguém com quem ele julgue que seria mais feliz. O cristão olha para essa pessoa e consegue se imaginar com ela noites adentro conversando. Assim é a vida. Davi olha para Bate--Seba e se apaixona. Bate-Seba, mulher casada com um homem nobre, a quem Davi não deveria trair por motivos redobrados. Ao se ver envolvido numa situação desse tipo, o crente pode ser traído pelo desejo de amar e ser amado.

O santo haverá de lidar com tentações diferentes nessa área. Pode acontecer de ele não se imaginar mais fazendo sexo sem amor. Por isso, a dificuldade de vivenciar uma queda que o tome de surpresa. Para ele, a tentação exigirá que uma relação mais íntima com alguém seja criada, o que torna tudo mais difícil. Até chegar ao ponto da infidelidade, uma série de fronteiras terá de ser rompida. Porém, se a crise afetiva se estabelecer, a ponto de ele vir a se apaixonar por alguém que não o seu cônjuge, então compreenderá o que significa renunciar tudo pelo reino de Deus. Saberá o que significa "entregar o seu Isaque". Entenderá o desafio que significa tornar valor absoluto a relação com Deus e relativizar o resto.

Casamento é aliança que transcende o amor romântico. É a decisão de honrar o compromisso firmado mediante pacto solene, no qual o nome de Deus foi invocado. É se tornar responsável por aquele que desposou. Amar a Deus sobre todas as coisas leva a recusar construir a felicidade pessoal sobre a dor de quem entregou a vida em seus braços. A referência do casamento é o amor de Deus pela Igreja, que nos leva a amar não por ser excelente, mas a tornar excelente por meio do amor.

▼ ▼ ▼

Nenhuma aliança exige do crente a manutenção de um pacto que foi quebrado em elementos essenciais. Com isso, não estou querendo obscurecer o poder transformador do perdão, oferecido a quem cometeu faltas tão graves, mas deu provas críveis de arrependimento. Quem se sente movido a glorificar a Deus dessa maneira não deve se julgar tolo por permitir que uma pessoa renasça em sua vida. Amor envolve esses supostos atos de loucura. Quem nunca fez loucura por amor é porque nunca amou, alguém já disse. Tolice é aguentar o massacre por causa de um amor doentio.

Quem foi ferido de modo tão profundo em sua dignidade a ponto de conceber o perdão, mas não imaginar mais o convívio, não deve se julgar na obrigação de manter o casamento caso não haja energia emocional para isso. Dependendo de uma série de fatores, não creio que estejamos em condição de demandar em todos os casos o perdão que mantém a relação.

Pense numa mulher que viu o marido abusar da própria filha. Imagine o cerceamento da liberdade, fruto de ciúme patológico e insuperável. Há casos de homens que querem manter a mulher em espécie de cárcere privado. Qual pai aconselharia a filha a manter relação com um homem que sofre de psicopatologia severa, que o torna intratável e agressivo? Os exemplos dessas surpreendentes e excruciantes decepções são infindáveis.

Cristo admite esse limite do amor humano: "Eu, porém, vos digo: Qualquer que repudiar a sua mulher, exceto em caso de relações sexuais ilícitas..." (Mt 5.32). Não estou estimulando a prática irrestrita do divórcio, nem negando o poder restaurador do perdão, muito menos banalizando os votos conjugais. Falo sobre aquele que amaria manter a relação conjugal, mas não pode, sob pena de remeter sua vida e a vida dos seus a sofrimento indizível e insegurança crônica.

Sofrimento

"Sede pacientes na tribulação" (Rm 12.12). Essa é a recomendação bíblica. Nas horas em que o universo parece se voltar contra nós, não podemos permitir que as circunstâncias adversas da vida nos roubem a paz. Qual é a razão dessa injunção, tão claramente ensinada em diversas passagens das Escrituras?

TEOLOGIA DA ALMA | **47**

Primeiro, a tribulação é como uma tempestade: vem e passa. Aguarde.

Segundo, o amor de Deus também está presente nos vendavais que nos assolam. Quem disse que toda essa sorte de sofrimento é completa maldição, um mal do qual não se pode tirar nenhum bem?

Terceiro, o que adianta nos rebelarmos contra o que Deus decretou? Como mudar o curso da providência? E, se nos fosse possível, seria sábio fazê-lo? Teria sido bom para José ter evitado sua venda como escravo para o Egito? Valeria a pena deixarmos de ser governados por um ser onisciente, todo-poderoso, santo e que tudo faz para a felicidade do seu povo e a glória do seu nome?

Diante de tudo isso, o que nos cabe fazer nas tribulações?

Orar. A oração arruma a vida mental, nos traz serenidade e faz-nos ver a vida pela perspectiva do otimismo realista da fé.

Buscar a solidariedade. A simpatia de um irmão em Cristo pode representar o sorriso de Deus para a nossa vida.

Evitar decisões radicais. É um risco fazer escolhas que afetarão radicalmente o futuro, sem que estejamos no melhor da nossa condição emocional e espiritual. Em momentos de tribulação, sentimo-nos tentados a decidir movidos pelo desejo inconsciente ou consciente de fugir da origem do sofrimento.

Fugir da autocomiseração. Ficar com pena de si mesmo pode nos levar ao ponto de buscar consolo no pecado.

Aplicar a fé. A fé nunca age automaticamente; ela tem de ser aplicada à nossa vida. Isso significa aplicar o que sabemos ser verdadeiro às circunstâncias adversas da nossa dura, curta e incerta existência. A fé diz que os cabelos da

48 | TEOLOGIA DA TRINCHEIRA

sua cabeça estão contados, que todas as coisas cooperam para o bem dos que amam a Deus e que Cristo o vê a remar com dificuldade no meio da tempestade. Aplique imediatamente essa bendita e consoladora teologia à sua vida.

Todos passamos por vales, aqueles momentos em que sentimos saudades de Deus. Dá vontade de parar tudo, buscar o isolamento e ficar na presença do nosso divino prazer. Ainda assim, devemos detestar o pecado da murmuração.

Já vivi esses momentos, ao deparar com agenda cheia, falta de recursos para o ministério, carência de gente disposta a trabalhar, noites mal dormidas, decisões difíceis de tomar, espanto em razão do meu contato diário com a estupidez humana, perplexidade diante da futilidade de quase tudo que é feito debaixo do sol, dificuldade de regular o tempo, falta de respostas para problemas concretos, ingratidão humana, sofrimento de pessoas que me são próximas, crises crônicas de sinusite, luta contra o pecado, dificuldade de encontrar igrejas que encantem...

Mas a lista de bênçãos é muito mais extensa. É como sair da tenda com Abraão e tentar contar as estrelas. A questão é que a fé não nos impede de sentir o calor da travessia, ter calo nos pés, ansiar por sombra, experimentar a sede e desejar cruzar o Jordão para chegar em casa. O consolo vem de perceber que períodos de grandes bênçãos costumam ser antecedidos por enormes lutas e tentações. O que será que Deus nos está reservando em meio ao sofrimento?

Desde a infância, por causa da ligação muito forte que tenho com o mar, todos os dias fico atento ao vento. No Rio de Janeiro, quando sopra o vento sudoeste é sinal que vem ressaca, frio e chuva. E, quase sempre, depois de alguns dias sopra um vento leste, de Niterói para o Rio, que limpa o céu, traz o sol e aquieta o mar progressivamente. As noites, depois dos dias de sudoeste, são as mais belas e estreladas. O mar, bem mais azul. As montanhas, mais verdes. Pode-se ver da baía de Guanabara a beleza da serra. Esses dias são os mais límpidos.

A vida é de vento sudoeste e vento leste. Será que o vento leste da misericórdia não está prestes a lançar para longe as nuvens grossas que o sudoeste da tribulação trouxe, a fim de que tenhamos a noite mais estrelada da história da nossa vida?

Somos cristãos. Não vamos precisar matar a promessa, porque o Isaque que devolvemos a Deus é eternamente nosso. Deus proverá.

▼ ▼ ▼

Recentemente, preguei sobre a ressurreição do filho único da viúva de Naim (cf. Lc 7.11-17). Fui profundamente tocado por esse relato. Senti um real refrigério ao me concentrar no consolo que Cristo concedeu à pobre mulher que perdera seu unigênito: "Vendo-a, o Senhor se compadeceu dela e lhe disse: Não chores!" (v. 13). Há uma consolação para nosso choro, baseada na firme esperança cujo fundamento é o ser de Deus e o seu caráter.

Não chores, porque o Criador eterno conhece tua dor, compreende teu sofrimento e se compadece da tua alma.

Não chores, porque tua angústia é o caminho que o Pai escolheu para que o conheças numa extensão que não o conhecerias de outra forma.

Não chores, porque tua lágrima faz que um poder ilimitado seja usado a teu favor por um ser misericordiosíssimo.

Não chores, porque Cristo é poderoso libertador para arrancar das garras da morte as suas presas.

Não chores, porque a última palavra do universo não está nem com a morte, nem com as forças cegas, nem com o acaso, nem com o inferno, nem com o homem, mas sim com Deus; Rei que reina.

Não chores, porque Deus é poderoso para fazer infinitamente mais do que tudo quanto pedes ou pensas.

Não chores, porque Deus restituirá na tua vida os anos que foram consumidos pelo gafanhoto.

Não chores, porque a graça de Deus é maior do que os teus pecados.

Não chores, porque todas as coisas cooperam juntamente para o bem daqueles que amam a Deus, e que foram chamados segundo o seu propósito.

Não chores, porque Deus não está preso ao universo que criou e às leis que estabeleceu. Ele pode tudo, menos deixar de ser Deus.

Não chores, porque os anos que se aproximam serão os mais bem-aventurados de toda a tua história.

Não chores, porque tudo o que diz respeito à tua vida diz respeito também à vida daquele que te amou, e a si mesmo se entregou por ti.

Não chores, porque, se fores abandonado por quem amas, Deus te acolherá.

Não chores, porque não há pecado do qual o Espírito Santo não te possa libertar.

Não chores, porque o Deus Fiel não permitirá jamais que passes por sofrimento que não possas suportar.

Não chores, porque este presente século, tão marcado por pecado, sofrimento e morte, passará, uma vez que a santidade de Deus exige que o universo seja regenerado pelo poder do próprio Deus.

Não chores, porque o Deus que te guardou no passado, mediante os mais diversos livramentos, os quais conheces muito bem, não haverá de te abandonar justamente agora.

Não chores, porque, por meio da tua e da minha pobre vida, Deus pode fazer sua vontade se cumprir e seu reino avançar.

Não chores, porque a peleja não é tua e sim daquele que te amou e que te chama para contemplar o livramento e a vitória. Não serás envergonhado.

Não chores, porque Deus amou o mundo de tal maneira que deu seu Filho Unigênito, para que todo aquele que nele crê não pereça, mas tenha a vida eterna.

▼ ▼ ▼

Como somos frágeis! Tudo pode ruir, desmoronar, ganhar outro rumo da noite para o dia. Isso pode nos sobrevir de diferentes maneiras.

Tentações súbitas que o acometem, e que poderiam jogar no lixo sua reputação, fazendo que pessoas não creiam que você crê.

Ciladas que são plantadas, nas quais sua inocência fica nas mãos de uma única testemunha, que, se não tiver caráter suficiente, permitirá que seja lançada sombra de dúvida sobre sua integridade.

Pessoas que poderiam pegar um fato de seu comportamento — que não depõe contra o todo de seu caráter — e torná-lo público, como se você fosse o que aparentemente demonstrou ser num mau momento da vida.

Doenças que poderiam ter sido fatais.

Acidentes que por muito pouco não ceifaram sua vida.

Decisões aparentemente racionais que teriam remetido seu trabalho à irrelevância.

Inimigos que poderiam ter, literalmente, dado cabo de você.

Declarações infelizes que teriam exposto sua vida ao menosprezo e descrédito públicos.

Associação com um mau-caráter, que entrou na sua vida em razão de sua ingenuidade e credulidade.

Oportunidades que aparecem na vida de um ser humano em raríssimas ocasiões desperdiçadas por você.

Tudo isso nos faz ver que, de fato, "se o Senhor não guardar a cidade, em vão vigia a sentinela" (Sl 127.1). Que sejamos gratos por ele nos conduzir na travessia desse grande e terrível deserto de serpentes abrasadoras.

▼ ▼ ▼

A angústia existencial faz parte da vida. Como não se angustiar com a condição humana? Com doenças terminais, envelhecimento e morte? O que falar sobre o estado de miséria e pobreza que atinge bilhões? O que dizer sobre as relações de poder, em que uns poucos oprimem a vasta maioria que depende de empregos precários, sujeitando-se a salários baixos, tarefas enfadonhas e carga horária extenuante? E quanto à triste constatação de que aqueles que exercem o poder político demonstram baixíssimo nível de espírito público? Indiferença e abuso por parte de autoridades podem ser vistos em todas as partes do mundo.

O quadro é caótico. Até mesmo por causa disso, muitos procuram evitar a angústia. Embotam a mente com drogas, ocupam o tempo com *hobbies* e dissecam a alma em terapias intermináveis em busca da paz que lhes escapa ao término de cada sessão. O problema do homem, como tão bem salientou Blaise Pascal, é não conseguir ficar em casa. A tranquilidade de um quarto o faz ouvir a voz de um coração em desassossego. Repousar, contudo, é a última coisa que o homem quer na vida.

Evidentemente, viver num estado perene de angústia não é bom. Faz-nos perder o prazer pela vida, expõe-nos à busca de anestésicos mentais e torna-nos cínicos em relação ao que nos cerca. Quando, contudo, esse tormento nos remete a Cristo, cria um bem-aventurado estado de alma. Sede e fome antecedem o encontro com Deus.

As mais poderosas pregações, as mais encantadoras obras de arte, os mais belos poemas foram produzidos por gente que experimentou na alma essa mescla de angústia e alegria. Ambos os sentimentos são sinais de vida. O primeiro denota que não cessamos de pensar e amar. O segundo, que pensamos e amamos do modo mais amplo possível. A vida é mais do que injustiça e morte.

Há um Deus que reina. Soberano. Infinitamente feliz. Ele é tudo o que gostaria de ser e faz tudo o que gostaria de fazer. O evangelho o revela enviando seu único Filho para morrer por homens e mulheres que não sabem amar, salvando-os de sua culpa e egoísmo, a fim de lhes prometer a posse eterna de um reino no qual ninguém deixará de ser feliz.

Oração

Acredito que a essência do evangelho pode ser encontrada neste versículo: "E, orando, não useis de vãs repetições, como os gentios; porque presumem que pelo seu muito falar serão ouvidos" (Mt 6.7). Por que penso isso? Porque nesse trecho Jesus fala sobre como o homem deve se relacionar com Deus e, ao fazê-lo, Cristo ensina teologia.

Quem é o Deus de Cristo? Alguém a quem podemos apresentar nossa aflição, pois é *bom, pessoal, poderoso*. Até aí, isso é óbvio, muitas religiões compartilham do mesmo pensamento — com variações, é claro — sobre o significado desses três atributos. O que chama a atenção nessa passagem, contudo, é Cristo corrigir de modo muito franco a percepção que os homens têm do ser de Deus.

Jesus condena, claramente, todo e qualquer pluralismo em termos de religião, afirmando que muito do que é ensinado usurpa a glória de Deus e adoece a alma. O cristianismo, definitivamente, está longe de ser ecumênico.[2]

Tudo isso porque existe uma forma gentílica de se ver a Deus. Os gentios, à luz das Escrituras, têm como principal característica tentar chegar à divindade sem a revelação divina, isto é, sem evangelho, sem Deus falando de si mesmo por meio do Novo Testamento. Tudo de que dispõem é sua razão, condicionada por um coração sobrecarregado de culpa.

O gentio, portanto, relaciona-se com Deus visando a chamar sua atenção por meio de trabalho duro. Não há conceito de graça em nenhuma produção religiosa humana não mediada pelo evangelho. Qualquer visita a um país pagão ou a uma igreja na qual a mensagem do evangelho tenha sido descaracterizada pelo paganismo mostra todo horror da religião do desempenho, da tentativa de diminuir o débito por meio da aquisição de crédito moral.

Cristo ensina que a oração feita fora do espírito do evangelho põe o homem por longas horas de joelhos, acordando de madrugada, subindo o monte e jejuando no frio e na chuva a fim de ganhar o favor divino. Cristo, por regular toda a sua mensagem pelo conceito evangélico de Deus, diz que orar dessa forma é orar como um pagão tolo, que se relaciona com o Todo-poderoso como se este fosse o Diabo.

O crente pode até passar longas horas em comunhão com Deus, atravessar a noite orando, procurar lugares aprazíveis para estar com o Senhor. Mas faz tudo isso porque ama a Deus e tem saudade dele. Esse cristão ora muito por amar muito. O que o evangelho condena é a oração mediada pelo paganismo, que torna a vida inviável e lança o homem na presença de um ser caprichoso, que pede tolices e exige o que não pode ser dado.

Sempre que você estiver praticando alguma disciplina espiritual, ou envolvido em qualquer outra atividade, procure saber se a sua prática é recomendada pelo evangelho. Cristo veio ao mundo para revelar um Deus surpreendentemente doce e amigo, um Pai de misericórdia que espera ver homens e mulheres lidarem com ele de modo descomplicado.

Felicidade e tristeza

A felicidade que Cristo promete aos que o seguem é singular. O que a distingue de tudo mais? O seu fundamento: o Pai. Único Deus verdadeiro. Infinito em poder e amor.

Felicidade não convive com o medo. Entra o temor pela porta, a felicidade sai pela janela. O motivo é simples: não é feliz aquele que teme perder a felicidade. A separação do que amamos nos apavora. Quem no universo pode dar essa garantia aos homens? Quem pode dizer: "Não temas"?

Precisamos de alguém que tenha todo o poder e que nos ame infinitamente. Sem essa certeza, buscar a felicidade é correr atrás do vento. No momento da maior alegria, com voz gélida, uma pergunta será feita a você e a mim: "Até quando?".

Quem é o cristão? O cristão é um caso perdido. Recusa-se a falar sobre felicidade sem mencionar a palavra *Deus*. Há algo mais: o cristão recusa-se a falar sobre Deus sem a intermediação de Cristo, pois ninguém jamais falou sobre Deus como Cristo. Ele nos curou da fobia do divino. Não precisamos mais fugir quando ouvimos a sua Palavra.

Por isso, a Palavra nos diz: "Porque a lei foi dada por intermédio de Moisés; a graça e a verdade vieram por meio de Jesus Cristo. Ninguém jamais viu a Deus; o Deus unigênito, que está no seio do Pai, é quem o revelou" (Jo 1.17-18).

▼ ▼ ▼

Recentemente, fiz o que raramente faço. Sintonizei uma rádio para ouvir música. Ouvi algumas canções antigas. Cada uma trazia à memória o passado. Que tortura! Quanta canção vazia e triste toda uma geração foi forçada a ouvir! Coisa de botar você para baixo e pensar no que não vale a pena.

Cuidado com a música. Ela eleva e abate. Pode arrebatá-lo de alegria ou remetê-lo para a mais profunda tristeza. Pode trazer doçura ao coração ou amargurar a alma.

Fuja do pensamento nostálgico. Não há um só momento do meu passado ao qual eu gostaria de retornar para ali permanecer. Sempre que me lembro dos tempos que se foram, por mais belos que tenham sido, recordo-me da ignorância, da limitação, do atraso. A vida avança. Deus sempre opera o novo na vida daqueles que o amam. A mente é ampliada, as afeições são santificadas e as ambições são purificadas, enquanto o dia da redenção se aproxima.

Amo a conclusão do salmo 23: "Bondade e misericórdia certamente me seguirão todos os dias da minha vida; e habitarei na casa do Senhor para todo o sempre" (Sl 23.6). Essa é a minha canção. Essa é a minha esperança. Isso é o que me faz olhar para o passado com gratidão, sem querer retornar a ele.

Certezas da vida

Sob qual perspectiva devemos ver este exato momento da nossa vida? O que de mais óbvio e elementar poderíamos dizer é que estamos vivos.

Um dia atrás, sua cidade poderia estar vazia de você, a visão do seu rosto apenas obtida por um porta-retratos e átomos do seu corpo começando a se espalhar pela terra, confundindo-se com o pó. O que fazer da nossa vida diante do assombroso fato de que a existência neste mundo é algo dado momento a momento?

Vejo algumas sugestões que me são apresentadas pela razão iluminada pelo senso comum e pelas Escrituras Sagradas. Sua presença na cidade onde mora é luz para os seus habitantes? Seus parentes e amigos próximos o têm como leal, verdadeiro, bondoso, perdoador, misericordioso, solidário? A visão de que os átomos do seu corpo poderiam estar agora espalhados pela terra o torna humilde? Como declara Tomás de Kempis: "Vaidade aspirar à longa vida, sem cuidar de que seja boa".[3]

Graças a Deus pelo dom da vida. Que esse poder que sustenta a nossa frágil natureza seja o mesmo ao qual não resistamos nas ocasiões em que nos incitar a amar, lutar pela justiça e viver humildemente.

Ao viver assim, pela graça de Deus que está em Cristo, quando chegar o dia em que a nossa cidade terrena estiver vazia de nós, estaremos na cidade celestial, onde a morte não entra. A lembrança que tiverem de nós servirá de estímulo para que os demais vivam uma vida mais próxima a Cristo. Livres de toda lágrima, viveremos para sempre na presença do Pai, que haverá de honrar todos aqueles que não banalizaram o dom da vida. "Todo ser que respira louve ao Senhor. Aleluia!" (Sl 150.6).

▼ ▼ ▼

Reflita sobre estas dez profecias que deixo de hoje até a sua entrada na glória eterna:

1. Não cairá um só fio de cabelo de sua cabeça sem a permissão divina.
2. Você vai pecar, mas sempre terá ao seu lado um Deus doce, pronto para enxugar suas lágrimas de arrependimento.
3. Você enfrentará lutas, mas em nenhuma delas a batalha excederá o suprimento de graça para suportá-las.
4. Cada tribulação que você enfrentar será usada por Deus para torná-lo mais parecido com Cristo.
5. Jesus vai bater na porta de seu coração inúmeras vezes, chamando-o para sentar-se com ele à mesa e cear.
6. Muitas oportunidades de tornar eternas suas atitudes por meio da obediência em amor lhe serão concedidas. O que significa, na prática, glorificar o santo nome do Deus, que não se esquece nem mesmo do copo de água fria que oferecemos aos seus servos.
7. Todos os sóis, galáxias, estrelas, planetas, cometas, moléculas e átomos terão de dizer "amém" ao que rege o universo para a felicidade de seu povo e glória de seu santo nome.

TEOLOGIA DA ALMA | **59**

8. Deus o acompanhará mais de perto do que a sua própria sombra! Quando você a vir, procure sempre lembrar-se do fato de que o Senhor é mais presente na sua vida do que ela própria.

9. Dia após dia, você estará mais próximo da sua redenção final. E, finalmente, virá o descanso do guerreiro.

10. O Espírito Santo intercederá pelo que você fará, o Filho intercederá pelo que você fez e o Pai acolherá a intercessão feita pelo Espírito e pelo Filho em seu favor.

2

Teologia da santificação

A santidade é o hábito de ter a mesma mente de Deus à medida que tomamos conhecimento da sua mente, descrita nas Escrituras. É o hábito de concordar com os juízos de Deus, abominando aquilo que ele abomina, amando aquilo que ele ama e medindo tudo o que há neste mundo pelo padrão da sua Palavra. Aquele que em tudo concorda com Deus é a pessoa mais santa. [...] Um homem santo se caracterizará por uma mentalidade espiritual. Ele firmará seus afetos inteiramente nas realidades celestiais.[1]

J. C. RYLE

Deus considera santo o cristão não porque ele vive em santidade; mas ele vive em santidade porque Deus o tornou santo. Na sua agonia de alma, quando tudo o que ouvia era a voz da lei, da consciência, do inferno e da religião — que o ameaçava com juízo, morte e destruição —, ele buscou refúgio nas feridas, no sangue, no sofrimento e na morte de Cristo. Jesus, afinal, deu sua vida por ele, a fim de lhe oferecer um perdão justo, baseado na obra sacrificial mediante a qual o pecado é punido, a justiça de Deus é vindicada e o homem é poupado.

62 | TEOLOGIA DA TRINCHEIRA

Quem crê é santo. Não há obra que possa ocupar o lugar da fé. Por meio dela, o homem recusa-se a oferecer esmolas, visitar favela, lutar pela justiça social, ser casto, fazer jejuns e realizar vigílias, a fim de satisfazer as demandas da justiça divina. O que ele oferece é justamente o que o próprio Pai lhe ofertou, Jesus Cristo. Ele não ousa oferecer nada que seja indigno da glória do Deus que foi desprezado e que não pode ser reconciliado com o homem por meio de obras manchadas pelo pecado, praticadas por pecadores. Ser considerado santo, separado e justo é dom que cai do céu como a chuva — a ser recebido pela fé.

Essa santidade, contudo, inevitavelmente conduz quem se percebeu como objeto de tão grande amor às obras do amor. A fé salvadora é fruto da obra soberana de regeneração. Ser transformado em nova criatura a ponto de crer somente em Cristo para a redenção garante não apenas o surgimento da fé que se apropria do perdão, mas do coração que anseia por participar da beleza de Cristo e retribuir em gratidão o perdão gracioso, que custou a morte do Filho de Deus.

Este capítulo é dedicado à doutrina da santificação. Nela, trato de alguns aspectos básicos da vida que se segue ao encontro salvador com Cristo.

Santificação bíblica

A doutrina da santificação é baseada no amor *transformador* de Deus. Portanto, erram os pregadores que defendem um conceito de graça que enfatiza exclusivamente o amor perdoador de Deus. Os tais falam de um deus que nos livra da culpa do pecado, mas não da escravidão do pecado. A promessa do evangelho, porém, envolve ambas as bênçãos: "Porque esta é a aliança que firmarei com a casa de Israel, depois daqueles dias, diz o Senhor: Na mente lhes imprimirei as minhas leis, também no coração lhas inscreverei; eu serei o seu Deus, e eles serão o meu povo [...] perdoarei as suas iniquidades, e dos seus pecados jamais me lembrarei" (Jr 31.33-34).

Foge à minha compreensão como uma pessoa pode dar-se por satisfeita por Cristo ter morrido pelos pecados dela, mas não se indignar com a presença em sua vida do pecado que levou Cristo à cruz. Afinal, nosso problema não é apenas o da culpa da qual queremos nos livrar, mas de uma servidão da qual queremos nos libertar. Não devemos nunca nos deixar viciar por um perdão que nos conduza a sermos maus porque Deus é bom. Para não incorrermos em erros relativos a esse assunto, é importante compreender algumas características basilares da santificação.

Santificação é processual. Regeneração, justificação e adoção são instantâneas. A santificação resulta da operação diária do Espírito Santo na vida do convertido, mediante a qual ele torna-se semelhante a Cristo, dia após dia.

Santificação resulta de trabalho duro. Quem quer ser santo deve separar tempo para isso. Nenhuma passagem bíblica nos estimula a esperar pela experiência da bênção da santificação, mas fazermos o que estiver ao nosso alcance — pela graça divina — para que Cristo seja formado em nós. Ninguém é tornado santo sem disciplina de vida de oração, leitura das Escrituras e comunhão com a igreja.

Santificação tem Cristo como referência. Ser santo é ser feito parecido com Cristo. Não é ser batista, presbiteriano, pentecostal ou católico. É ser como o Cristo que não cabe em nenhuma tradição de espiritualidade.

64 | TEOLOGIA DA TRINCHEIRA

Santificação é aprender a amar. Nada é mais importante que isso. É ser bom e desejar a Deus.

Santificação é obra a ser consumada no céu. Na terra, esse processo é marcado por muita imperfeição. Por isso, quem anda pela senda da santificação é humilde de espírito, chora por seu pecado, é manso e tem fome e sede de justiça.

Santificação é obra que conduz à ética privada e produz espírito público. É impossível dissociar, por exemplo, o bom pai e membro de igreja do bom cidadão. Como essa pessoa pode amar sua família e querer o bem da sua igreja e, ao mesmo tempo, menosprezar a dor do que é explorado, vive na miséria e tem seus direitos violados todos os dias?

Sem santificação ninguém verá a Deus. O tema é sério. A maior evidência do novo nascimento é a presença de um coração santo que produz hábitos santos. A graça que garante a regeneração do coração e a consequente implantação de um princípio novo de vida inevitavelmente levará quem dela foi objeto à prática do cristianismo. Praticar a verdade é a principal parte do cristianismo. Afinal, é pelo fruto que se conhece a árvore.

▼ ▼ ▼

O conceito de santificação está diretamente ligado à prática da obediência e não à manifestação de dons e talentos. Jesus fez uma advertência solene ao tentar corrigir o equívoco de quem dá mais importância ao desempenho carismático do que à prática concreta do cristianismo: "nunca vos conheci" (Mt 7.23).

As pessoas podem ficar muito encantadas consigo mesmas em razão dos dons que Deus lhes concedeu. Infelizmente, muitas entendem que o fato de Deus as usar por meio de seus talentos seja sinal de que ele aprova sua vida. Mas isso não é verdade. Frequentemente vemos gente cujo caráter não acompanha seu sucesso ministerial.

A principal parte do cristianismo é a prática do cristianismo. Nenhuma evidência de salvação é mais inequívoca do que a obediência a Deus. Ninguém tem mais direito de se certificar da autenticidade de sua profissão de fé do que aquele que vive a fé cristã. Pelos frutos se conhece a árvore e não por resultados ministeriais, ativismo ou experiências místicas.

Nada é mais difícil do que convencer pessoas que demonstram alto nível de desempenho ministerial e passaram por supostas experiências místicas que elas não evidenciam os frutos da salvação em sua vida. A fé que atua pelo amor é a forma por excelência de nos certificarmos de que nascemos de novo — mais excelsa do que construir catedrais, fazer paralítico andar ou ter a visão de um anjo sorrindo.

▼ ▼ ▼

Há uma distância abissal entre o santo e o moralista. As Escrituras aprovam a preocupação, movida pelo amor, com o cumprimento da vontade moral de Deus. Elas, entretanto, condenam a obsessão neurótica pela lei, movida pelo medo. Qual a diferença entre o santo e o moralista?

O santo se relaciona com Deus em amor. O moralista procura cumprir a lei em temor servil.

O santo vive em liberdade sob o espírito da lei, e não no claustro da meticulosidade ética. Ele vê a moral cristã à luz do conjunto mais amplo de preceitos morais e de seu escopo principal: a glória de Deus e a felicidade humana.

O santo submete sua vida ao que as Escrituras revelam. O moralista procura impressionar a Deus com a prática de tolices criadas pelo homem. Para o santo, boa obra é apenas aquela que é praticada em amor e sujeição a preceitos éticos claramente revelados.

O santo sabe que entrará no reino dos céus pelo sacrifício de outro, que foi espancado e morto em seu lugar. O moralista não consegue entender uma relação com Deus que não seja baseada em desempenho.

O santo cai e se levanta, confiando mais na misericórdia de Deus do que em sua inocência. O moralista só perdoa a si mesmo depois de acreditar haver expiado pessoalmente a sua culpa.

O santo se relaciona com Deus por meio de Cristo. O moralista se relaciona com Deus por meio da lei.

O santo ficou viúvo da lei e se casou com Cristo. O moralista mantém o matrimônio com a senhora lei.

O santo é cara de pau. Participa da festa do amor do Pai como se nada tivesse acontecido. Ele sabe que Deus não tem como descarado quem, movido por um espírito contrito, voltou para a casa do Pai. O moralista recusa-se a ir para o salão de festas sem antes passar pela senzala.

O santo usa as Escrituras para revelar o amor gracioso de Deus pelos pecadores. O moralista usa a Bíblia para justificar a sessão de apedrejamento do que pecou.

O santo surpreende-se com a doçura da graça de Deus. O moralista, com ira oculta e agasalhada, espanta-se com a estreiteza do caminho que leva aos céus.

O santo é bom e justo. O moralista costuma ser apenas justo. Em suma, o santo é justo, e o moralista, justiceiro.

As crianças adoram a companhia do santo. O moralista as espanta.

O santo não se sente livre para ser mau porque Deus é bom. O moralista tende a ser tão mau quanto o seu deus.

O santo tem sempre alguém na vida com quem pode falar sobre suas fragilidades morais. O moralista procura ocultá-las até de si mesmo.

O santo encontrou na vida um Deus amável a quem cultua em amor. O moralista encontrou na vida um justiceiro celestial a quem cultua de olhos secos.

O santo é progressista. O moralista é conservador.

O santo conserva o que ainda é útil, santo e bom. O moralista conserva o que é relativo, temporal e anacrônico.

O santo celebra a vida. O moralista só se sente bem quando está mal.

O santo não busca uma santificação que o desnaturalize. O moralista tenta viver como anjo.

O santo surpreende-se com a condescendência divina em face de sua fraqueza moral. O moralista não entende como não é mais abençoado em face de seu desempenho ético.

O santo se relaciona com Deus por meio de Cristo. O moralista se relaciona apenas com Deus. Por isso, o santo encontra o Pai, e o moralista, o Diabo.

As obras da fé

Para compreendermos a essência do cristianismo, é fundamental que entendamos a relação entre fé e amor.

A fé é o que nos permite tomar posse do perdão gratuito de Deus. Não é ela que nos salva. A fé significa mãos vazias de boas obras a fim de que recebamos a salvação que o evangelho oferece aos humildes de espírito, aqueles que assumiram sua bancarrota espiritual e nada merecem. Somos salvos pela graça de Deus mediante a fé somente.

A fé salvadora, contudo, nunca está só. Vem sempre acompanhada de obras que a autenticam. Somos justificados pela graça de Deus mediante uma fé que precisa ser comprovada pelas obras. A fé sem obras é morta. Ser mau porque Deus é muito bom não faz parte da natureza da fé verdadeira. Cumpre-nos, portanto, perguntar: se a fé sem obras é morta, qual é a principal obra da fé? A resposta de inúmeras passagens bíblicas não deixa dúvida: *amor*.

Amor é o que nos leva a viabilizar a vida de todo aquele que a providência divina põe em nosso caminho. O amor tem várias facetas. Pode assumir as formas de paciência, perdão e generosidade. Há uma, entretanto, que se destaca no cristianismo por ser basilar: a misericórdia. A misericórdia é aquela expressão do amor que nos leva a nos compadecer dos que sofrem e a socorrê-los, especialmente quando não podem fazer nada por si mesmos para se livrar de seu infortúnio. O amor não salva, mas ninguém entrará no reino de Cristo sem amor. Num país de miséria como o nosso, o amor misericordioso sempre nos levará a socorrer os que mais sofrem e que, em sua dor, se encontram em estado de desamparo e impotência. Os misericordiosos o sabem.

Amor a Cristo

Eu amo a Cristo. Gostaria de falar sobre os motivos do meu amor pelo Senhor.

Eu amo a Cristo porque ele me ama. Aos 20 anos o conheci, e nada mais importante que isso aconteceu na minha vida até hoje. Nesses anos de convívio com o meu amado Senhor, percebo quanto sua mensagem e providência me protegeram.

Eu amo a Cristo porque ele ama a verdade. Nem toda verdade tem o mesmo peso de importância para a nossa vida. Há grande diferença entre conhecer muitas coisas e conhecer o essencial. De que vale você e eu sabermos discorrer sabiamente sobre o curso dos astros, se ignoramos quem somos, de onde viemos e para onde vamos? Cristo, em toda a sua vida pública, chamou o homem para tomar consciência de seu pecado, buscar reconciliação com Deus, receber perdão, aprender a amar e livrar-se da morte eterna. Há verdade mais importante que essas?

Eu amo a Cristo porque ele ama os pecadores. No relato bíblico, nós o vemos sempre em busca de gente problemática e carregada de culpa. Jamais aconteceu de ele não tratar com candura o pecador moído pela dor do arrependimento. Com Cristo aprendemos a confiar mais na misericórdia de Deus do que na nossa inocência.

Eu amo a Cristo porque ele ama o oprimido. Os mais diferentes tipos de seres humanos encontram abrigo no coração de Jesus, mas nas Escrituras vemos com clareza quanto Jesus dedicou sua vida aos pobres, doentes, mentalmente perturbados, deficientes físicos, solitários, "perdedores". O Senhor Jesus jamais ignorou a dor humana.

Eu amo a Cristo porque ele ama a si mesmo. Cristo tem prazer em si mesmo. Ele é o que diz ser. Nunca o encontramos nas Escrituras sentindo-se culpado. Cristo é excelente. Por isso, os cristãos adoram seu Senhor.

Eu amo a Cristo porque ele ama o Pai. Num mundo em que muitos menosprezam quem criou o universo, passou por este planeta alguém que podia dizer: "A minha comida consiste em fazer a vontade daquele que me enviou e realizar a sua obra" (Jo 4.34). Ele foi obediente, por amor, até a morte. Nisto consiste a felicidade de Deus, na mútua contemplação da beleza das pessoas da Trindade.

70 | TEOLOGIA DA TRINCHEIRA

Que você proclame também os motivos de seu amor, tal como o apóstolo Paulo, que podia dizer: "logo, já não sou eu quem vive, mas Cristo vive em mim; e esse viver que, agora, tenho na carne, vivo pela fé no Filho de Deus, que me amou e a si mesmo se entregou por mim" (Gl 2.20).

Buscar e servir a Deus

Orar muito é sinal de novo nascimento? Nem sempre. A Bíblia nos apresenta patifes, fariseus e demônios orando: "Então, os demônios lhe rogavam: Se nos expeles, manda-nos para a manada de porcos" (Mt 8.31). Passar longos momentos em oração pode denotar a presença de forte espírito pagão: "E, orando, não useis de vãs repetições, como os gentios; porque presumem que pelo seu muito falar serão ouvidos" (Mt 6.7). O pagão (gentio) é aquele que se relaciona com Deus sem a mediação do evangelho. A marca do paganismo é trabalhar duro para chamar a atenção da divindade. Jesus veio ao mundo; para revelar um Deus descomplicado, doce e bom. Não precisamos falar muito para que nossa súplica tenha valor e seja ouvida.

Cristo ensinou seus discípulos a orar. Orar é o primeiro exercício da fé verdadeira. Passamos a crer e, imediatamente, somos levados a falar com aquele em quem agora, pela primeira vez na vida, confiamos. Jesus passava longos momentos em oração, isso porque amava o Pai. Assim deve ser conosco. Orar por deleite, saudade, dependência, gratidão e encanto.

Que a beleza desse Deus o mova a passar longos momentos em oração, mas sem jamais se esquecer que a oração mais simples e breve é acolhida por aquele que tem como música para os seus ouvidos ouvir seus filhos se dirigirem a ele em confiança filial.

▼ ▼ ▼

Nada afeta a vida da igreja mais que um avivamento. Quando o Espírito Santo é derramado sobre muitas pessoas ao mesmo tempo, reeditando a experiência de Cristo no Jordão, a igreja é tomada de alegria indizível e cheia de glória, tornando-se ousada para testemunhar do evangelho e livre para amar a Deus e tudo o que ele criou para o seu louvor.

Eu não gostaria de partir desta vida sem ver esse dia chegar. Você não sente desejo de cair aos pés de Jesus em estado de encanto, amor e louvor; de esquecer-se de si mesmo, absorto na formosura divina; de perder-se em adoração, sentindo a incapacidade de expressar com a língua o que escapa ao entendimento e comunica doçura inexprimível à alma?

O que estamos esperando? Por que não procuramos nossos amigos e irmãos a fim de orar? O que nos impede de separar dias inteiros para a leitura da Bíblia e a busca pela presença de Jesus? Por que não saímos para lugares isolados, a fim de passar fins de semana juntos em retiro espiritual?

▼ ▼ ▼

Deus chama o homem para servir-lhe. Somos presenteados com talentos e dons a fim de nos dedicarmos à gloriosa tarefa de servir ao Criador. Encontrar sentido na vida significa ter consciência de que o trabalho, dentro e fora da igreja, é forma de servir ao dono da casa. O maior boicote que você pode fazer contra si mesmo é deixar de servir a Deus, que nos chama para deixarmos o mundanismo ocioso a fim

72 | TEOLOGIA DA TRINCHEIRA

de encontrarmos o que fazer na vida. Não há nada que possa trazer mais consolo à existência de um homem no dia de sua morte do que olhar para trás e ver rastro de salvação; saber que as pessoas passaram a viver melhor por sua causa.

Cristo afirmou ser absolutamente certo que este mundo vai passar. O propósito divino se cumprirá. A presente ordem, caracterizada por miséria, injustiça, fobia e morte, dará lugar a um reino no qual toda lágrima será enxugada. Isso é totalmente certo, porque o caráter de Deus exige que ele dê fim a este espetáculo de horror. E a transformação do mundo pegará os homens de surpresa.

Não temos controle sobre o curso da história. Não temos controle sobre o curso da nossa vida, que também passa de modo inesperado. Portanto, vigie.

> É como um homem que, ausentando-se do país, deixa a sua casa, dá autoridade aos seus servos, a cada um a sua obrigação, e ao porteiro ordena que vigie. Vigiai, pois, porque não sabeis quando virá o dono da casa: se à tarde, se à meia-noite, se ao cantar do galo, se pela manhã; para que, vindo ele inesperadamente, não vos ache dormindo.
>
> Marcos 13.34-36

Observe que, segundo essa passagem, a maior maldição que pode se abater sobre a vida de um homem é ele ser encontrado por Deus dormindo; é Cristo despertá-lo quando não há mais vida para se viver. Tal homem permitiu que a vida passasse, deixando de aproveitar as oportunidades que lhe foram dadas de viver conscientemente para o serviço em favor dos homens e visando à glória de Deus.

A mensagem do evangelho verdadeiro do nosso Senhor Jesus — o que é pregado por quem deseja ser fiel a Cristo em vez de ser popular — é: prepare-se para o encontro com o dono da casa. Acorde! Desperte, a fim de que, quando vier ao seu encontro, Deus o encontre no seu posto.

Relacionamento com o próximo

"A resposta branda desvia o furor, mas a palavra dura suscita a ira" (Pv 15.1). Será que existe instrução de comprovação mais fácil do que essa? Poucas passagens bíblicas nos ajudam tanto a evitar desgastes desnecessários com pessoas. O conselho é simples e de fácil compreensão. É possível aplacar a ira de alguém por meio do ato de regular internamente o que vai sair dos nossos lábios como resposta. O que caracteriza a resposta branda?

Primeiro, é a resposta que procura entender antes de falar. Nada mais insensato do que nos precipitarmos em dizer algo sem antes ouvir. Qual é a razão da demanda? Por que a pessoa está tão indignada? Os seus motivos são razoáveis? Diante do que me está sendo apresentado, qual é a melhor forma de lidar com o problema?

Segundo, trata-se de uma resposta que visa à edificação, em vez de ter como objetivo sair vitorioso de uma discussão. Se a meta foi determinada pelo amor, certamente sairemos em busca da melhor forma de expressão para que o nosso intento não seja estragado pelo descuido no modo de falar.

Terceiro, a resposta branda parte sempre da pressuposição de que não é da natureza humana ouvir quem fala com arrogância. Se você quer convencer seu interlocutor de algo que julga importante, jamais fale de modo irritante e procure sempre ganhar-lhe a mente pela via do coração.

Quarto, a resposta branda leva em consideração sempre as condições emocionais e o caráter do interlocutor.

74 | TEOLOGIA DA TRINCHEIRA

Há pessoas sem estrutura para ouvir certas verdades. Há quem seja propenso a distorcer tudo o que é falado, a menosprezar a verdade, e que esteja mais interessado em proteger seu ego frágil do que em lidar com fatos. Respeite os limites de cada um. Algumas pessoas podem não ouvir num primeiro momento. Outras, possivelmente não ouvirão nunca.

Quinto, todo aquele que deseja edificar pelo que fala sempre levará em consideração suas próprias circunstâncias. Tenho acesso a todos os lados da questão? Encontro-me no melhor do meu estado emocional para iniciar a conversa? O momento é propício? O sábio discerne o tempo e o modo certos de falar. Nada pior do que gente que está mais preocupada em ser sincera do que em amar.

Considere a quantidade de problemas que você deixará de atrair para a sua vida por seguir esse conselho bíblico. Pense no desgaste de subitamente passar a ter inimigos na vida por se envolver numa contenda tola. É claro que Deus não espera de você o silêncio absoluto. Faz parte do compromisso com a verdade proclamá-la com intrepidez e coragem. O conselho é para você saber quais brigas comprar e como evitar atrair conflitos desnecessários; para você aprender a transformar inimigos em amigos e a sempre falar em amor.

Deus não nos chamou para usar a língua com a intenção de ferir, mas, sim, de curar.

▼ ▼ ▼

Nada mais belo que a verdade proclamada com amor.

Nada mais agradável que a verdade ensinada com doçura.

Nada mais producente que a verdade apresentada de modo não irritante.

Nada mais convincente que a verdade demonstrada com lágrimas.

Nada mais iluminador que a verdade defendida com inteligência.

Nada mais coerente que a verdade anunciada de modo cristão pelos cristãos, uma vez que:

> ... para isto mesmo fostes chamados, pois que também Cristo sofreu em vosso lugar, deixando-vos exemplo para seguirdes os seus passos, o qual não cometeu pecado, nem dolo algum se achou em sua boca; pois ele, quando ultrajado, não revidava com ultraje; quando maltratado, não fazia ameaças, mas entregava-se àquele que julga retamente.
>
> 1Pedro 2.21-23

Santidade do corpo e do intelecto

A igreja deve se preocupar, acima de tudo, com a reconciliação de pecadores com o Criador. O ensino referente à vida santa vem depois do chamado à conversão, que é um voltar-se para Deus em arrependimento e fé. A partir do momento em que é feito justo pela graça, o convertido é instruído pelas Escrituras acerca do valor de sua vida aos olhos de Deus, e que ela é um dom que não deve ser banalizado e destruído por nada.

A fé cristã sempre se levantará contra tudo aquilo que corrompe a imagem e a semelhança de Deus no ser humano. Isso inclui seu corpo, como instrumento adaptado para expressar a realidade e as virtudes do espírito.

O cristianismo, portanto, chama o homem a ter apreço pelo seu corpo. Como alma e corpo fazem parte da criação

76 | TEOLOGIA DA TRINCHEIRA

de Deus, a fé leva o homem tanto à livraria quanto à academia de ginástica.

▼ ▼ ▼

O Espírito Santo agiu na Igreja de diversas maneiras nos últimos dois mil anos. Uma delas foi iluminando a mente de milhares de homens e mulheres, que deixaram um legado no formato de produção intelectual. Como poderíamos negligenciar tamanha herança?

O que falar, então, das ciências, que lançam luz sobre o texto escriturístico, ampliam o horizonte teológico e fazem o pastor manter-se em contato com os dilemas intelectuais do presente momento da história? Os grandes pregadores do passado amavam as Escrituras e dedicavam-se de coração a examiná-las, sem, jamais, negligenciar as demais fontes de conhecimento — que, sob a luz das Escrituras, tornam o pregador mais sábio, e seu sermão, mais rico.

Nada justifica a preguiça intelectual numa época de tantas oportunidades. O melhor da tradição protestante é marcado pela unção associada à erudição. Um púlpito onde haja luz e fogo é a melhor forma de um pregador honrar quem saiu de casa para ouvir a Palavra de Deus.

Perguntar quantos livros o pregador leu não é insulto, nem esnobismo intelectual, mas uma forma de estimular a aquisição do saber, num país onde milhares reclamam da qualidade da pregação. Foi da boca do mais conhecido pregador batista de todos os tempos, Charles Spurgeon, que saiu uma declaração que resume de modo bem-humorado a preocupação dos pastores do passado com a leitura de livros: "Calças são importantes, mas livros, muito mais".

O primeiro passo que você precisa dar é em direção à ruptura total com a mentalidade de muitas de nossas igrejas, que não apenas não estimulam o cristão a estudar, como sugerem que é carnal aquele se dedica ao acúmulo de conhecimento. Você precisa ser salvo desse tipo de igreja.

Em seguida, é importante perceber quanto a fé cristã nos estimula a usar a mente. Ela pede que adoremos a Deus com o nosso entendimento. Verifiquemos as justificativas que o Novo Testamento apresenta para que nos certifiquemos de que Cristo é o caminho e procuremos estar preparados para responder racionalmente a todo aquele que nos pedir a razão da nossa esperança. Sugiro que você procure conhecer melhor a história do protestantismo, a fim de se certificar de que, por onde essa tradição de espiritualidade passou, houve elevação do padrão educacional.

Por fim, creio que muito o encorajará perceber que a parte mais nobre de seu ser é a mente. Investir nela é dedicar-se à dimensão da vida que, de modo especial, faz parte da imagem e semelhança de Deus.

Não há aprendizado sem esforço. Para ampliar seu intelecto, você precisará de disciplina. Não creia em leitura dinâmica, muito menos que o Espírito Santo honra a preguiça. Jamais leia um livro sem uma caneta na mão, mas procure sempre anotar tudo de importante que você encontrou no texto. Leia em locais refrigerados, pois o calor é inimigo da boa reflexão. Escolha o horário do dia em que sua mente funciona melhor. E seja seletivo: leia bons autores, não compre um livro pelo título, mas pelo valor, caráter e preparo do autor.

E não duvide do que Deus pode fazer com você e por meio de sua vida, caso o seu desejo seja se tornar uma pessoa culta para servir melhor ao próximo e glorificar a Deus.

Igrejas, denominações e religiosidade

Religião é um perigo. Quando nos deixamos seduzir pela religiosidade, facilmente deixamos de ser o filho mais novo que desperdiçou a herança do pai para nos transformarmos em respeitáveis fariseus. Os cristãos de relacionamento mais difícil, insuportavelmente justos, cujo zelo não vem acompanhado de bondade, são os menos conscientes de sua dedicação sem alma. Como saber se o contato com a religião está fazendo mal ao seu relacionamento sincero com Deus? Respondendo a algumas perguntas.

Você tem a graça divina como fundamento da sua relação com Deus? A certeza dessa aceitação graciosa o tornou mais livre para receber críticas e reconhecer erros? A desgraça humana o perturba, o comove e o leva à ação? Sua família interpreta seu retorno para casa, após um dia de trabalho, como a chegada de um anjo? Sua presença faz bem e comunica alegria? O seu cristianismo tem como característica uma harmonia entre doutrina, experiência e prática? Razão, afeição e vontade estão envolvidas na sua relação com Deus? Você ouve os diferentes? Já considerou o fato de que você e aqueles com quem anda não detêm o monopólio da verdade, e que não há evidência empírica para crerem que estão cem anos à frente dos demais cristãos?

Se você titubeou ou conscientemente respondeu "não" a alguma dessas perguntas, é possível que esteja vivendo de forma religiosa, porém não relacional, com Deus.

Alguém já disse: "Toda instituição tem a tendência de, no decorrer do tempo, se transformar no seu oposto". A reforma da igreja e da vida deve ser uma prática diária.

▼ ▼ ▼

TEOLOGIA DA SANTIFICAÇÃO | **79**

O denominacionalismo é um mal protestante. Para ser mais exato, um mal protestante americano, pois foi a partir dos Estados Unidos, com sua maravilhosa obsessão pela liberdade, que pequenas igrejas se separaram de grandes denominações protestantes e deram corpo a esse fenômeno. O denominacionalismo resulta da quebra do monopólio da verdade que havia no século 16, quando Martinho Lutero e os demais reformadores enfatizaram o direito de livre exame das Sagradas Escrituras por parte de qualquer membro da Igreja de Cristo. O cristão não teria de ficar à espera da interpretação — supostamente infalível — do clero a fim de conhecer o real significado do conteúdo bíblico.

Isso livrou a Igreja de um terrível cativeiro. Representou a ruptura com a pré-modernidade. Homens e mulheres foram estimulados a não depender mais da autoridade de quem fala para se certificar da veracidade de uma proposição. Contudo, a subjetividade da interpretação de obra literária, associada ao orgulho humano, levou o movimento protestante a se dividir em um número infindável de confissões teológicas. E isso é um mal, pois houve muita divisão em torno de pormenor doutrinário, o que levou a Igreja a esquecer-se dos grandes motivos para se manter unida e lembrar-se dos pequenos motivos para se manter desunida.

Hoje, a quebra do monopólio da Igreja Católica Apostólica Romana — que, de certa forma, não tinha com quem disputar espaço no Ocidente até a Idade Média — criou um mercado religioso. Cada igreja passou a apresentar um "produto" mais atraente para o consumidor, em detrimento da pureza do evangelho.

Valeu a pena a mudança operada pela Reforma? Valeu. Não estamos mais nas mãos de um clero orgulhoso e muitas vezes desumano, capaz de adulterar o sentido da

80 | TEOLOGIA DA TRINCHEIRA

verdade. Essa adulteração resultava em desgraça espiritual para milhares de almas, incapazes de alçar sua voz contra a autoridade eclesiástica por causa da pretensa infalibilidade de homens falíveis.

A ditadura do saber teológico é mais perniciosa do que a democracia intelectual protestante, porque esta deixa o espaço aberto para a constante reforma, enquanto aquela obstaculiza todo esforço de conduzir a Igreja de volta à verdade revelada.

▼ ▼ ▼

O povo de Deus vivia na infância espiritual na época do Antigo Testamento. Os próprios profetas de Israel proclamavam a chegada do dia em que Deus teria como adoradores crentes "melhores", que, mediante um coração "despetrificado", apresentariam a ele um culto puro. Esse povo dependia demais das promessas terrenas, que foram feitas graciosamente por Deus para estimular seus servos à fidelidade.

No Novo Testamento, percebe-se com clareza que a ênfase é posta na dimensão eterna da vida. A Igreja é levada *in totum* a compreender que melhor do que morar numa terra onde mana leite e mel é ter Deus como amigo. Ninguém era estimulado a desprezar as bênçãos temporais, mas também não havia estímulo a nelas pôr o coração.

Muitos pastores brasileiros estão chamando a Igreja de volta ao jardim de infância. O discurso é frequentemente infantil, o culto é para meninos e meninas que adoram movimento e barulho e detestam parar para pensar. Esses líderes mimam os membros da igreja, que acabam esperando o que o evangelho não promete. Por isso há tantos cristãos despreparados para enfrentar a vida, com seus dilemas, lutos e perdas.

Precisamos resgatar os motivos e as esperanças do Novo Testamento, que nos ensina a depositar nossos afetos naquela realidade em que não há luto e Deus enxuga toda lágrima.

▼ ▼ ▼

O cristianismo é uma religião eminentemente comunitária, relacional. Como alguém já disse, a salvação é individual, mas não é individualista. Não existe cristianismo sem igreja. O apóstolo Paulo declara que todo convertido é imediatamente batizado pelo Espírito Santo no Corpo de Cristo, que é a Igreja: "... em um só Espírito, todos nós fomos batizados em um corpo, quer judeus, quer gregos, quer escravos, quer livres" (1Co 12.13).

Deus espera que os cristãos deem uma prova sociológica da realidade do cristianismo. Há o testemunho individual, que damos por meio da prática do bem. Pessoas têm contato conosco e passam a ter uma ideia de quem é Cristo. Há também o testemunho comunitário, que damos mediante o amor que temos uns pelos outros no Corpo de Cristo. Pessoas têm contato com a igreja e passam a ter uma ideia de como este mundo seria se todos fossem discípulos de Cristo.

Nunca vi um cristão de vida bela sem comunhão com a igreja. Nunca vi alguém de vida tão santa e tamanho entendimento teológico a ponto de não caber em nenhuma igreja.

Cristo amou a Igreja. Cristo andou com a Igreja. Cristo serviu à Igreja.

Calvinismo

O calvinismo é caracterizado por cinco pontos que lhe são peculiares e não fazem parte dos demais sistemas teológicos:

Depravação total. O ser humano perdeu a liberdade de escolher em amor Deus e sua verdade. Ele é livre para fazer o que quer fazer, mas jamais o seu querer o conduz a amar e servir a Deus.

Eleição incondicional. Deus elege o ser humano para a salvação por meio do seu decreto soberano. Ele predestina quem quer, por causa de seu livre amor e soberania.

Expiação limitada. Cristo morreu pela Igreja, e não por todos os homens. Sua morte assegurou a salvação somente de seus eleitos.

Graça irresistível. Quando o Espírito Santo age no coração de um homem, com base no decreto da predestinação, ele é irresistivelmente transformado pela graça de Deus. Quando Deus decide salvar, salva, e ninguém pode impedi-lo.

Perseverança dos santos. Nenhum eleito e regenerado pela graça cai do estado de salvação. Uma vez salvo, salvo para sempre.

O calvinismo é muito mais que isso. Contudo, do ponto de vista doutrinário, esses cinco pontos separam a fé calvinista dos demais sistemas. Esses cinco pontos são essenciais? Não. Dá para ser cristão sem eles. Estou certo, no entanto, que nenhum sistema teológico é capaz de produzir, na mesma extensão, os frutos que o calvinismo produz. Quais?

Primeiro, *humildade*. A salvação é obra da graça do início ao fim. Não há espaço para mérito humano.

TEOLOGIA DA SANTIFICAÇÃO | **83**

Segundo, *segurança*. O crente olha para o seu passado e contempla um amor eterno que o predestina; olha para o presente e vê o poder do Espírito Santo que o sustenta com base num decreto eterno; olha para o futuro e enxerga como certa sua entrada no reino de Deus — porque uma promessa lhe foi feita com base numa afeição eterna: "Estou plenamente certo de que aquele que começou boa obra em vós há de completá-la até ao Dia de Cristo Jesus" (Fp 1.6).

Terceiro, *gratidão*. Qual sistema teológico pode produzir mais louvor do que o calvinismo? Ele ensina que a salvação do cristão resulta de um amor antigo, que levou Deus a usar de misericórdia para redimir quem não podia fazer nada para se salvar. Afinal, o homem sem Cristo não está "meio morto", está... morto!

Sim, há flores que só nascem em solo calvinista.

▼ ▼ ▼

Penso constantemente nos cristãos que vivem medindo pessoas e igrejas pelo padrão da sua fita métrica teológica. Verdade seja dita: certos teólogos amam rótulos. Falam a respeito das demais expressões de espiritualidade de tal maneira que somos levados a crer que eles são os únicos que enxergam o cristianismo de um ponto de vista privilegiado. Há quem se entenda o verdadeiro paulino-agostiniano-calvinista. Puríssimo.

O calvinismo autêntico deve estar em constante desenvolvimento intelectual. Calvinismo que avançou na compreensão doutrinária continuará sendo calvinismo, pois a tradição calvinista crê no desenvolvimento intelectual da Igreja. Como declara o teólogo Charles Hodge:

Todos os protestantes admitem que tem havido, em certo sentido, uma evolução ininterrupta da teologia da igreja, desde a

84 | TEOLOGIA DA TRINCHEIRA

era apostólica até os dias atuais [...] a igreja tem avançado no conhecimento teológico. A diferença entre as representações confusas e discordantes dos primeiros pais sobre todos os temas conectados com as doutrinas da Trindade e da pessoa de Cristo, e a clareza, a precisão, e a consistência dos conceitos apresentados após os séculos de discussão, bem como a afirmação dessas doutrinas pelos concílios de Calcedônia e Constantinopla, é quase tão grande como a diferença entre o caos e o cosmo.[2]

Se o novo calvinismo é a tentativa de comunicar antigas verdades de um modo que o homem moderno possa compreendê-las, ainda assim continua sendo calvinismo, pois o calvinismo é avesso ao apego irracional à tradição. Se o novo calvinismo é o resgate de alguma virtude da tradição calvinista da qual a igreja se esqueceu, ainda assim continua sendo calvinismo, pois o calvinismo ensina que uma igreja reformada deve sempre se reformar. Porém, se o novo calvinismo é quebra do princípio regulador do culto, apego maior à denominação do que ao reino de Cristo, ruptura com o formalismo que descambou para familiaridade desrespeitosa, afirmação de ser calvinista sem nunca ter lido Calvino, alienação político-social, falta de investimento em educação, formação de pastores iletrados, racionalismo estéril, ensino do liberalismo teológico no ambiente acadêmico, irrelevância histórica... nesse caso, não estamos falando de novo calvinismo, mas de anticalvinismo.

Só não me diga que ser calvinista é ter decorado a constituição de determinada denominação, pregar de toga, proibir o ministro de usar *jeans* no púlpito, eliminar o uso da bateria no louvor, usar liturgia impressa e manter-se fiel a costumes do século 18. Porque, nesse caso, terei de pedir que me mostre em que página da história da Igreja posso encontrar esse tipo de calvinismo, pois o desconheço.

Lamento pela cultura religiosa de certas igrejas que se dizem calvinistas no Brasil. Compostas por pastores que pensam que suas igrejas não crescem por causa do seu nível de fidelidade a Calvino, quando, na verdade, jamais alcançariam resultados tão pífios se fossem verdadeiramente calvinistas.

▼ ▼ ▼

Certa vez me perguntaram se o membro de uma igreja pentecostal deveria ir para uma igreja calvinista. Nem sempre uma igreja calvinista é melhor do que uma igreja pentecostal, o que é comprovado com facilidade no Brasil. Há igrejas pentecostais com níveis de compromisso com Deus e qualidade de vida espiritual muito mais profundos que os encontrados em igrejas calvinistas, reformadas na doutrina, mas não na vida espiritual. Portanto, a mudança de uma igreja pentecostal para uma calvinista pode representar a mudança de uma igreja com vida espiritual para uma marcada pela ortodoxia morta.

O conhecimento doutrinário é essencial, mas não é tudo. Uma igreja com excelente ortodoxia, mas fraca ortopraxia — isto é, boa da cabeça, mas fraca do coração —, é pior que uma igreja com um mínimo de verdade teológica, mas com real e apaixonado compromisso com o pouco que sabe ser verdadeiro.

Meu conselho é que se procure uma igreja calvinista, desde que seja tão boa do coração quanto da cabeça. Sou calvinista até a medula, mas calvinismo sem vida é insuportável, pois representa muita arrogância intelectual e nenhum poder espiritual.

Nunca se deve deixar uma igreja pentecostal viva para congregar em uma igreja calvinista morta. Nem vejo como pecado um crente se manter numa igreja pentecostal saudável, com a qual tem história e mantém vínculos de amor e gratidão profundos, para sair em busca de uma igreja calvinista, por melhor que esta seja. O calvinismo sempre valorizará a lealdade àqueles a quem muito devemos e a manutenção da unidade da igreja em torno do essencial, enquanto liberdade doutrinária é concedida em temas secundários.

Quisera que o fogo pentecostal e a luz calvinista estivessem presentes nos nossos púlpitos. Como é belo um calvinista tomado da paixão calvinista e um pentecostal levando seu amor pela Bíblia às últimas consequências teológicas.

O culto e o dia do Senhor

O povo brasileiro precisa resgatar o valor do culto cristão. Deus usa as assembleias santas e solenes da igreja para falar com o seu povo. Há bênçãos que só colhemos nesses encontros, até porque há promessas claras nas Escrituras para o exercício espiritual de congregar.

Os grandes momentos da história do cristianismo sempre foram marcados pela presença clara de Deus nas ocasiões em que sua Igreja se reunia para adorá-lo. Nunca vi um cristão cheio do Espírito Santo e, ao mesmo tempo, negligente em sua frequência à adoração pública.

Com isso em mente, gostaria de apresentar dez atitudes que poderíamos tomar no intuito de tornar esses momentos mais proveitosos.

1. Chegar ao templo antes do começo do culto, a fim de preparar a alma para a adoração.

TEOLOGIA DA SANTIFICAÇÃO | **87**

2. Encorajar o pregador a pregar toda a Palavra de Deus, com franqueza e clareza, anunciando o Deus real, e chamando a atenção para o caráter incerto, árduo e passageiro da vida; revelando ao pecador sua perdição metafísica e moral; proclamando o Cristo cordeiro e o Cristo leão: doce para perdoar, poderoso para libertar.

3. Os músicos diminuírem ao mínimo possível a altura do som.

4. As canções serem escolhidas com critério, mais voltadas para exaltar as perfeições divinas do que as ambições humanas.

5. O ambiente ser refrigerado.

6. Usar a luz para criar uma atmosfera aconchegante. Mandar para o inferno lâmpadas fluorescentes!

7. Pontualidade no horário de começar e terminar.

8. Banhar de oração o culto.

9. Acompanhar a exposição bíblica com as Escrituras abertas.

10. Preocupar-se mais com a transcendência da adoração pública do que com a criação de um momento meramente agradável.

Eu poderia listar muitas outras atitudes que deveríamos tomar em relação ao culto. As igrejas protestantes brasileiras precisam de reforma quanto às reuniões públicas, que estão longas, barulhentas, irreverentes, carentes de conteúdo e destituídas de uma atmosfera santa e transcendente.

Os responsáveis pela condução do culto precisam dar motivos para que pessoas saiam de casa a fim de ir à celebração. Os membros da igreja não devem ser meros espectadores, mas precisam demonstrar seu amor por Cristo ao se dirigir à igreja com o sincero propósito de expressar publicamente sua gratidão por aquele que por nós morreu e que pela sua graça tem preservado nossa vida.

▾ ▾ ▾

Desde os primórdios da história do cristianismo, os cristãos guardam o domingo como o dia do Senhor, no lugar do sábado judaico. Homens e mulheres das mais diferentes tradições de espiritualidade foram levados à compreensão de que o Novo Testamento ensina a troca do sábado pelo domingo em razão do fato de o sábado representar o dia de descanso da antiga criação, e o domingo, o dia de descanso da nova criação, inaugurada com a ressurreição de Cristo — ocorrida nesse dia.

O domingo cristão não deve ser confundido com o sábado farisaico. Não é dia a ser aguardado com angústia, por representar a cessação temporária da vida e o confinamento no templo. É dia de celebração, culto, refrigério, comunhão com os irmãos, renovação das energias espirituais. Separar um dia em sete para uma dedicação mais profunda à comunhão com Deus é bíblico e sábio.

A separação de um dia da semana para o culto exclusivo a Deus consta nos Dez Mandamentos. Portanto, não é lei cerimonial, isto é, relativa ao culto na antiga aliança, mas moral, relativa ao culto tanto da antiga quanto da nova alianças. Seria muito útil para nossa renovação espiritual se usássemos melhor o domingo, crendo que mais vale usá-lo para servir ao próximo, ir à igreja, manter comunhão com os amigos em torno de uma boa mesa e ler bons livros do que gastá-lo com lazer, futebol e cinema.

TEOLOGIA DA SANTIFICAÇÃO | **89**

Não quero lançar culpa sobre ninguém, muito menos condenar quem dá um mergulho na praia no domingo ou assiste a um bom filme. Amo os momentos de lazer, gosto de futebol e frequento o cinema. A questão está em sondar o coração para saber que tipo de programação dominical será mais útil para a promoção de felicidade, santificação e amor e para o aumento da intimidade com Deus.

Música e músicos

Eu preparo meus sermões ouvindo música não religiosa. Não foram poucas as vezes em que fui tomado de profunda emoção espiritual redigindo meus textos enquanto ouvia a trilha sonora do filme *Blade Runner, o caçador de androides.* Há uma graça que opera fora do âmbito da igreja local e embeleza a vida da sociedade civil, impedindo que este mundo seja tão mau quanto poderia ser.

Deus, por meio dessa graça comum, inspira arquitetos, músicos, cineastas, cientistas políticos, cabeleireiros, jardineiros e tantos outros, levando-os a tornar a vida neste planeta mais bela, harmoniosa e justa. Desprezar a produção profissional do não cristão é um menosprezo à graça divina; empobrece a existência e faz que vivamos de modo contraditório. Pense numa pessoa que não ouve música não cristã aplicando esse princípio à totalidade da vida.

Há limites, claro. Lembro-me de um amigo, dirigente de grupo de louvor, que disse ter participado da santa ceia em uma igreja presbiteriana do Rio de Janeiro na qual foram entoadas canções não religiosas, entre elas a conhecida *Se eu quiser falar com Deus,* do cantor e compositor Gilberto Gil. Achei a proposta fora de lugar, obviamente, de profundo mau gosto e ofensivo à glória de Deus.

90 | TEOLOGIA DA TRINCHEIRA

Não sou a favor de levarmos para o culto músicas cujas letras ensinam o exato oposto da fé cristã. Ou mesmo aquelas que tão somente dizem aquilo que todos os dias ouvimos pelas ruas e não nos sacam deste mundo de miséria e dor a fim de elevar nossa mente ao Deus revelado pelo evangelho de Cristo. Deveríamos ser criteriosos quanto ao contato com essas músicas até em nossa vida privada. Por que parar para ouvir o que desperta a dor, deprime ou estimula as paixões mais pueris?

A letra da música, sem margem de dúvida, é um dos pontos óbvios da questão. Ela pode representar o Diabo cantando. Mas o que falar do ritmo? Todos devem ser aceitos e introduzidos no culto a Deus? Eles são neutros? Existe ritmo profano? Certamente, nossas preocupações devem também envolver os ritmos musicais. A melodia desperta os mais diferentes tipos de emoção. O senso comum nos ensina que as canções que inserimos nos eventos da vida têm de se harmonizar ao estado de espírito do momento. Certos ritmos musicais não convidam a alma para a contemplação de um Deus santíssimo.

Estou certo de que enriqueceria a vida de nossa sociedade se músicos cristãos fossem capazes de ensinar os valores do cristianismo por meio de suas composições. As letras não precisariam mencionar jargões com os quais estamos tão familiarizados e que assumem forte conotação religiosa para o não cristão.

A música é uma das principais avenidas da alma para a contemplação do que transcende esta vida de luto e lágrimas. Que saibamos ser criteriosos quanto ao que ouvimos em casa e nos cultos. A boa música prepara a mente e o coração para a percepção da beleza da verdade.

Muitos reclamam da qualidade da música evangélica. A pobreza dos nossos cânticos é reflexo da qualidade da nossa pregação. Púlpito fraco costuma produzir música fraca. Não é de bom gosto que mulheres cantem como homens, ou vice-versa; tampouco que mantras sejam entoados no lugar de canções capazes de concatenar ideias. De igual modo, não devemos estimular sons estridentes, rimas óbvias, louvores antropocêntricos, heresias em forma de canção e outros problemas visíveis no cenário musical evangélico do Brasil.

▼ ▼ ▼

Há músicos que cobram cachês altíssimos para cantar em igrejas, e igrejas que pagam para os tais. Frequentemente, esses cachês equivalem ao salário de meses de trabalho de muitos pastores fiéis.

O que isso demonstra? Que certos líderes evangélicos não acreditam que o Espírito Santo e a verdade proclamada sejam suficientes para atrair pessoas a uma conferência. Assim, pastores deixam a liturgia ser determinada por cristãos que permanecem na infância espiritual, reduzem o tempo da pregação e o sermão é ministrado em tempo exíguo para uma igreja suada e cansada de tanto pular e cantar.

Isso é sintomático. A igreja precisa de avivamento.

Apostasia

A apostasia ocorre quando pessoas que um dia receberam a verdade e manifestaram adesão a ela se afastam dessa mesma verdade. Na Bíblia, afastar-se da verdade não é apenas distanciar-se de um conjunto de doutrinas, mas de Deus. O que afirmamos ser verdadeiro determina a forma como nos relacionamos com Deus e o tipo de Deus com quem nos relacionaremos.

Esse modo de se relacionar, entretanto, pode ser diferente do que deseja o Deus verdadeiro. O Criador não tem de aceitar o nosso culto só porque somos sinceros; afinal, no passado muitas pessoas diziam adorar a Deus queimando seus filhos ou apoiando o *apartheid*, o nazismo ou a acumulação egoísta de capital. Hoje, no Brasil, pessoas dizem adorar a Deus vendendo milagres em programas de televisão. Afastar-se da verdade representa não apenas perverter o culto verdadeiro, mas a própria visão que temos de Deus. Podemos adorar um deus inventado por nós e convertido por nós a nós mesmos.

O processo de apostasia costuma ser progressivo e imperceptível. Começa, por exemplo, com um problema moral que leva o conjunto teológico inteiro da pessoa a adaptar-se ao seu desejo de encontrar justificativa doutrinária para algum pecado que esteja praticando. Em geral, esse processo se assemelha à destruição que cupins promovem em um móvel de madeira, de desgaste paulatino, até que essa corrosão progressiva leve ao enfraquecimento de toda a estrutura e, por fim, ao desmoronamento. Se os alicerces espirituais da nossa vida se enfraquecem, somos levados a crer, por exemplo, em um conceito de graça que nos estimula a orar quando der vontade, a ler a Bíblia apenas no final de semana e a frequentar a igreja tão somente quando nossa agenda permitir.

Rejeitar a verdade, depois de havê-la conhecido, é pior do que jamais ter ouvido falar sobre ela. Uma coisa é pecar nas trevas da ignorância; outra é pecar na luz do conhecimento da verdade revelada por Deus. Pior do que estar num quarto escuro e ter dificuldade para enxergar é estar num quarto escuro no segundo seguinte após a luz ter sido apagada. O efeito da luz sobre os olhos fará a escuridão se tornar mais espessa.

3

Teologia da missão

Calvino abomina a religião limitada ao gabinete, à cela ou à igreja. Como o salmista, ele invoca o céu e a terra, invoca todas as pessoas e nações a dar glória a Deus. [...] Deus está presente em toda a vida com a influência de seu poder onipresente e todo-poderoso, e nenhuma esfera da vida humana é concebida na qual a religião não sustente suas exigências para que Deus seja louvado, para que as ordenanças de Deus sejam observadas, e que todo labor seja impregnado com sua fervente e contínua oração. Onde quer que o homem possa estar, tudo quanto possa fazer, em tudo o que possa aplicar sua mão — na agricultura, no comércio e na indústria —, ou sua mente, no mundo da arte e ciência, ele está, seja no que for, constantemente posicionado diante da face de seu Deus, está empregado no serviço de seu Deus, deve obedecer estritamente a seu Deus e, acima de tudo, deve objetivar a glória de seu Deus. Consequentemente, é impossível para um calvinista limitar a religião a um grupo em particular ou algum círculo entre os homens. A religião diz respeito ao todo de nossa raça humana. [...] Sem dúvida, há uma concentração de luz e vida religiosa na igreja, mas ao mesmo tempo nas paredes dessa igreja há amplas janelas abertas e através dessas janelas espaçosas a luz do Eterno tem irradiado sobre todo o mundo. Aqui está uma cidade colocada sobre um monte, a qual cada homem pode ver à distância.[1]

ABRAHAM KUYPER

Fiquei conhecido por ter criado a ONG Rio de Paz, que cresceu e ganhou notoriedade internacional. Em certa ocasião, logo após uma manifestação contra o abuso sexual a mulheres, a coordenadora do Rio de Paz em São Paulo concedeu entrevista à CNN. A apresentadora do programa demonstrou estar impressionada com a repercussão mundial do ato público e com os dados que apresentamos ("É isso mesmo, 420 estupros a cada 72 horas?"). Episódios semelhantes a esse mostram como, por meio do Rio de Paz, temos ajudado a criar uma cultura de defesa dos direitos humanos no Brasil e no mundo e acabamos tendo oportunidades inéditas de falar sobre o evangelho.

E tudo começou numa igreja.

Nossa experiência na Igreja Presbiteriana da Barra, no Rio de Janeiro, tem nos convencido de que cristãos reunidos em torno da pregação da Palavra e da ministração dos sacramentos podem se unir, no poder do Espírito Santo, para mudar a história e estar na vanguarda dos movimentos sociais. Evidentemente, não confundo igreja com ONG. Não recomendaria a nenhum cristão romper com a igreja a fim de se dedicar a uma ONG. Tomei a decisão de manter o foco da igreja na pregação e nos sacramentos, mantendo uma estrutura enxuta e dedicada ao que a igreja como instituição foi chamada a fazer, enquanto estimulo seus membros a, na condição de cidadãos, lutar pelo direito e pela justiça por meio de uma ONG. A linguagem secular do Rio de Paz permite aos cristãos cumprirem sua missão no mundo sem ter de enfrentar as barreiras inerentes ao trabalho da igreja institucional. Por isso, temos também contado com a ajuda de excelentes não cristãos.

Amo a Igreja. Não passa pela minha cabeça abandonar o púlpito para me dedicar às ruas. Contudo, não dedicaria minha vida a um projeto eclesiástico que fosse menos do que cristãos juntos, munidos da verdade do evangelho e da graça divina, agindo em favor do mundo em todas as suas esferas de atividade. A Igreja é fascinante quando é o que pode ser. Neste capítulo, desejo tratar da missão integral da Igreja.

A mensagem necessária

Quanto mais eu vivo, mais me certifico de quanto a humanidade carece do conhecimento da verdade revelada pela fé cristã. Há três realidades sobre a vida que nos pressionam e se tornam especialmente insuportáveis para seres que pensam: a vida é curta, a vida é dura e a vida é incerta. E a mensagem cristã mostra ser ainda mais fundamental quando percebemos que a essas três verdades se soma a nossa falta de amor ao próximo — que evidencia-se, por exemplo, nas nossas relações trabalhistas, nas normas que criamos e nos modelos políticos que concebemos. Forjamos um mundo no qual não podemos viver.

Estou certo, mais do que jamais estive em toda a minha vida, de que a causa dos nossos infortúnios reside nas trevas que nos envolvem e nos impedem de saber quem somos, de onde viemos, para onde vamos e, consequentemente, quais as causas reais do mal-estar da civilização. Ainda não encontrei mensagem que satisfaça o espírito de criaturas sensíveis e inteligentes, exceto a proclamada por Cristo: o evangelho. É uma mensagem completa. E necessária.

Dedicar os anos de vida que me restam à proclamação do cristianismo é o que mais almejo. Desejo viver de modo que tudo o que eu fizer ornamente a verdade, criando ao mesmo tempo uma plataforma que me permita pregar Cristo para o maior número possível de pessoas.

▼ ▼ ▼

Uma das passagens bíblicas mais significativas sobre a razão de ser da missão cristã é esta:

> E percorria Jesus todas as cidades e povoados, ensinando nas sinagogas, pregando o evangelho do reino e curando toda sorte de doenças e enfermidades. Vendo ele as multidões, compadeceu-se delas, porque estavam aflitas e exaustas como ovelhas que não têm pastor. E, então, se dirigiu a seus discípulos: A seara, na verdade, é grande, mas os trabalhadores são poucos. Rogai, pois, ao Senhor da seara que mande trabalhadores para a sua seara.
>
> Mateus 9.35-38

Aqui vemos um fato aparentemente evidente, mas bastante significativo: Jesus tinha contato com as pessoas. Se ele viu as multidões é porque estava próximo delas. Não há nada que supere a experiência de campo. Não pense que você pode ter ideia exata sobre os problemas sociais do Brasil, por exemplo, apenas lendo o jornal; é preciso ir lá onde os problemas acontecem. Essa relação permite que se forme uma opinião pessoal bem sólida, além de criar oportunidades para conhecer e amar pessoas reais.

Jesus se compadecia das pessoas. A condição humana é trágica: todos estamos expostos a uma vida dura, curta e incerta; sujeitos a uma cultura religiosa que põe na boca de Deus o que ele nunca falou. Milhões estão à mercê de bandidos que assumem os mais altos postos de governo. Cristo vê esse quadro calamitoso e se compadece.

O homem carece de direção, pois está aflito, exausto e sem saber o que fazer da própria vida. Ovelha sem pastor! Isso vale para o pobre, o rico, o culto, o inculto, o idoso, o jovem. Sim, a condição humana é trágica.

TEOLOGIA DA MISSÃO | **97**

Em seguida, vemos que Jesus se dirigiu a seus discípulos, a quem disse: "A seara, na verdade é grande, mas os trabalhadores são poucos" (v. 37). A cena é belíssima, pois retrata o Cristo abrindo o coração com os seus amigos. Por que Jesus se dirigiu aos discípulos? Porque é de esperar que a igreja entenda o coração de Deus. E por que a seara é grande e os trabalhadores são poucos? Porque há desgraça de todos os tipos, para todo lado, e você e eu somos viciados em nós mesmos. Vivemos focados na nossa felicidade. Por isso, ignoramos os homens. Desaprendemos a amar. Se a igreja, a comunidade daqueles que foram tornados sensíveis à voz de Deus, não atender ao apelo de Cristo, o que será das ovelhas aflitas e exaustas?

Diante disso, precisamos orar. "Rogai, pois, ao Senhor da seara que mande trabalhadores para a sua seara" (v. 38). Só Deus para nos fazer incorporar a vida do próximo ao nosso conceito de felicidade. Precisamos daquela obra do Espírito que nos envia para onde jamais iríamos se o amor de Deus não nos tivesse movido. Observe que a oração é para que Deus envie trabalhadores para a sua seara, e não vagabundos.

▼ ▼ ▼

Mateus 9.35-38 começa com uma explicação importante sobre a forma como Jesus realizava a missão. "E percorria Jesus todas as cidades e povoados, *ensinando* nas sinagogas, *pregando* o evangelho do reino e *curando* toda sorte de doenças e enfermidades" (v. 35).

A missão cristã aponta que devemos, primeiro, *ensinar*, isto é, explanar o conteúdo do evangelho e aplicar suas consequências práticas à vida dos convertidos.

Segundo, *pregar*, mostrar ao homem o caminho que leva ao céu.

Terceiro, *curar*, ajudar as pessoas a se livrarem do que as limita, a fim de que sirvam a Deus e ao próximo na plenitude do seu ser.

Ensinar, pregar e curar pressupõem *amar*. São três modos de servir à humanidade que só podem ser praticados com beleza, autenticidade e eficácia por aquele que teve acesso ao coração de Cristo e passou a sentir o que Jesus sente por um mundo aflito e exausto, que mais se parece com um rebanho de ovelhas que não têm pastor.

A missão da Igreja é amar

Nenhum dos mandamentos de Deus deve ser negligenciado, porque ao homem cabe submeter-se sem reservas àquele que o criou. Quando Cristo foi indagado sobre o que está acima de tudo na lei moral, respondeu: "Amarás, pois, o Senhor teu Deus de todo o teu coração, de toda a tua alma, de todo o teu entendimento e de toda a tua força. O segundo é: Amarás o teu próximo como a ti mesmo" (Mc 12.30-31).

Nada está acima do amor. O amor é o que dá coesão à virtude, gerando harmonia entre suas expressões. É o amor que concede espontaneidade ao comportamento, desneurotizando a obediência. Sem amor, desempenho religioso algum agradará ao Deus que está preocupado tanto com o que fazemos quanto com o que somos.

A missão da Igreja é amar. O amor vem antes da Grande Comissão. Ele antecede o chamado da Igreja para pregar o evangelho, que, com absoluta certeza, é expressão de compaixão sempre presente na vida daquele que ama e crê.

Antes de chamar a Igreja para pregar, Deus a convoca para o exercício do amor. Compreender isso é de fundamental importância para a correção daquele tipo de espiritualidade que resume a vida e a missão do cristão e da igreja ao ato de pregar o evangelho para quem não o conhece. Esse pensamento tem feito que igrejas inteiras neguem os princípios mais elementares do amor, em nome de uma dedicação exclusiva a algo que, se for real, levará o convertido a fazer muito mais do que evangelizar.

Imagino esse amor sussurrando nos nossos ouvidos o que devemos fazer por aquele que a providência divina põe em nosso caminho. Ele pode dizer: "Pregue o evangelho para essa pessoa, porque viver sem Cristo é muito triste", "Leve uma cesta básica para a casa dela; a fome tem pressa, e um estômago vazio não tem interesse em metafísica", "Ajude-a a investir em si mesma e a crescer como ser humano, a fim de que ela coma do pão com o suor do seu rosto, deixando de depender da misericórdia incerta da sociedade e do Estado", "Ame essa pessoa de modo político; a cesta básica resolve seu problema imediato, mas não a introduz na verdadeira cidadania, livrando-a das amarras das estruturas sociais da maldade. Lembre-se de que ser bom escravocrata é inferior a lutar pela libertação dos escravos".

Quem nos fez esquecer de amar desse modo? O que nos levou a negligenciar o mais importante? Por que mutilar o amor?

▼ ▼ ▼

Amar vem antes de liderar. O chamado de Cristo não é para liderarmos, mas para servirmos. A primeira decisão a tomar é aprender a amar, com um amor que se expresse

100 | TEOLOGIA DA TRINCHEIRA

por meio de serviço e viabilize a felicidade daqueles que a providência divina pôs em nosso caminho.

O serviço cristão pressupõe amor. Por que cantamos, ensinamos, pregamos, lideramos? Porque temos interesse pelo bem-estar das pessoas. Sem amor, o trabalho perde o sentido, a canção fica sem brilho, o serviço é realizado sem espontaneidade e a pregação acontece sem originalidade. Não há congresso que ensine a amar. Forjar o ser é obra do Espírito Santo. Podemos falar sobre métodos de liderança, princípios de administração e técnicas de composição musical, mas amar vem do céu. Por isso, deve ser buscado.

Peça a Deus por amor. Não queira ser um grande pregador, um exímio cantor ou um poderoso líder eclesiástico. Procure amar e servir, aperfeiçoando seu talento para ser útil, em vez de famoso. Somente assim você não perderá sua alma na religião.

▼ ▼ ▼

Perguntou o intérprete da lei a Jesus: "Quem é o meu próximo?" (Lc 10.29).

Jesus respondeu: "Muçulmanos, católicos, protestantes, umbandistas, espíritas, animistas, agnósticos, ateus, esquerdistas, direitistas, homossexuais, heterossexuais, progressistas, conservadores, americanos, franceses, cubanos, árabes, índios, negros, brancos, pardos, judeus, palestinos, brasileiros, argentinos, mulheres, homens, crianças, idosos, ricos, pobres, analfabetos, cultos, policiais militares, policiais civis, juízes, desembargadores, pastores, advogados, prostitutas, alcoólatras, mendigos, banqueiros...".

▼ ▼ ▼

Declaro que a evangelização é a principal missão da igreja.

Indago o que evangelização tenciona produzir.

Afirmo que a verdadeira evangelização tem como meta reconciliar o homem com Deus e levar o coração do convertido a amar o seu Criador e o próximo.

Concluo que é impossível dissociar a evangelização verdadeira da missão ao pobre, da defesa dos direitos humanos e da ação política, uma vez que aquele que ama haverá de se compadecer do que mais sofre e empreender o esforço necessário para livrá-lo de sua desgraça.

A questão não é ser contra ou a favor da missão integral, mas pensar se associamos ao trabalho evangelístico o discipulado, que ensina o homem a amar com amor integral.

▼ ▼ ▼

John Stott afirmou que a pressão política é uma extrapolação legítima do mandamento de amar ao próximo. O que ele quis dizer com isso?

A Bíblia não fala nada explicitamente sobre pressão política num regime democrático. Ela manda amarmos o próximo, o que significa, entre outras coisas, fazer o que estiver ao nosso alcance para socorrê-lo em suas necessidades — especialmente, quando ele não tem subsídios para socorrer a si mesmo. Esse amor é chamado nas Escrituras de *misericórdia*.

No Estado moderno, neste modelo de sociedade em que vivemos, certas necessidades humanas só podem ser atendidas quando o poder público age. O que fazer quando somos postos em contato com pessoas cuja carência só pode ser suprida mediante a ação de um governo que se recusa a agir? Ali está alguém cuja dor demanda uma resposta do

102 | TEOLOGIA DA TRINCHEIRA

cristão. Este, porém, percebe-se de mãos atadas em razão de a desgraça daquele que a providência pôs em seu caminho para ser socorrido depender, para ser mitigada, de políticas públicas que não são implementadas pelas autoridades.

Nessas horas, o amor evangélico, revelado por Cristo nas Escrituras, pede — por inferência lógica insofismável — que se tome o único caminho para a solução do problema: a pressão política. Assim, essa extrapolação do amor torna-se legítima. Tudo o que estou dizendo tornou-se claro para mim no trabalho de campo. Tenho deparado todos os dias com seres humanos reais que sofrem por causa da incompetência, da falta de compaixão e do descaso do poder público.

Vivi duas experiências muito significativas com relação a essa questão nos últimos anos. A primeira: eu estava em uma prisão, distribuindo camisas, sandálias, remédios e pasta de dente aos presidiários. Observei que a temperatura das celas chegava a quase 57 graus Celsius, os cárceres estavam superlotados, inocentes permaneciam presos, pessoas que cometeram crimes insignificantes encontravam-se enjauladas e não havia a mínima perspectiva de reintegração social do apenado. A segunda: eu estava em uma favela, onde pessoas vivem abaixo do nível da pobreza, a fim de levar cestas básicas para moradores, quando tomei conhecimento de que policiais estavam praticando abuso de poder na localidade. Ao lado dos barracos percebi um rio para onde escorria o esgoto, e crianças contraíam leptospirose fatal.

Pergunto: quem pode dar conta desses problemas? Não estou indagando quem tem a responsabilidade de resolvê-los — é óbvio que é o Estado. Mas, pela inoperância deste, pode acontecer de assumirmos a responsabilidade, em nome do amor. Não podemos cair na idolatria do Estado, dependendo dele para tudo. Muita coisa pode ser feita por homens e mulheres que se unem em torno de uma causa qualquer. Pode acontecer, entretanto, de essa cooperação servir de desculpa para justificar o medo de enfrentar quem detém o poder, e que precisa ser confrontado. É pura ingenuidade, irresponsabilidade ou até mesmo covardia achar que, num país com os problemas estruturais que tem o Brasil, a filantropia pura dá conta de todas as necessidades do pobre, do vulnerável e do injustiçado.

A igreja precisa aprender a vivenciar essa "extrapolação do amor". Amor que a levará à imperiosa decisão de se envolver com algo que ela julga tão sujo — a dimensão política da vida.

▼ ▼ ▼

Não há nada que Deus ame em sua criação mais que os seres humanos, criados à sua imagem e semelhança. Amar é viabilizar a vida humana e ajudá-la a cumprir sua vocação divina. Significa tratar com dignidade todo aquele que cruza o seu caminho e levá-lo a voltar para casa se sentindo mais amado e próximo de Deus.

Pratique isso com petistas, tucanos, espíritas, protestantes, católicos, ateus, agnósticos, esquerdistas, direitistas, homossexuais, heterossexuais, conservadores, progressistas, judeus, palestinos, árabes, americanos, argentinos, brasileiros, paulistas, cariocas, nordestinos.

Não ignore o pobre, o vulnerável, o excluído, o enlutado, o doente, o desempregado, o que sofre violação de direitos humanos. Não explore ninguém. Não pague salário baixo.

104 | TEOLOGIA DA TRINCHEIRA

Que no seu e no meu caminho não haja rastro de destruição e miséria. E que, dos altos céus, Deus olhe para nós e sorria, pelo simples fato de nos ver vivendo a vida que ele próprio vive: uma vida de amor.

Filantropia não basta

Lembro-me de certa tarde transformadora que passei na favela de Rio das Pedras, no Rio de Janeiro. Dezenas de voluntários do Rio de Paz e membros da Igreja Presbiteriana da Barra foram à localidade para entregar donativos e prestar serviços diversos de socorro. Eles puseram o pé na lama, pisaram no esgoto a céu aberto, se assustaram com ratazanas, ofereceram atendimento médico, distribuíram alimentos e roupas, abraçaram crianças, consolaram famílias que perderam tudo em uma enchente, sentiram o cheiro dos barracos em que entraram e, assim, permaneceram até a noite na comunidade pobre.

Tudo foi realizado com um nível surpreendente de ordem, sem nenhum incidente. Apesar de não ter sido possível atender todos, não se percebeu nem reclamação nem ressentimento; pelo contrário, os participantes do mutirão de ajuda humanitária receberam muitas palavras de gratidão. Saí de Rio das Pedras feliz por conhecer tanta gente humana e que ainda é capaz de se espantar com a miséria.

Entrei no meu carro e retornei para casa, sentindo aquela depressão que me faz sempre ligar para os amigos e desabafar. Não me saía da lembrança a imagem daquelas pessoas voltando ao final do dia para seus barracos, caminhando pelas ruas insalubres. O tamanho do desafio social também me abateu. Se todos nós déssemos os nossos bens, de uma só vez, para aquela gente, não resolveríamos seus problemas. Havia muita criança brincando no esgoto, muita sujeira, muita miséria.

Não basta uma igreja ou uma ONG agir. Para retirar da penúria aquelas pessoas, só a força de um braço mais forte que o de uma entidade da sociedade civil. Não sou daqueles que depositam toda a esperança de solução para os problemas humanos nas mãos do Estado. Creio nas associações voluntárias e na consequente ação da sociedade civil organizada. Porém, existe essa coisa chamada Estado que, embora não onipotente, pelo menos é sem rival no que diz respeito aos recursos de que dispõe.

O poder público brasileiro, contudo, é lento, reativo, burocrático e desumano. Só age sob pressão. O Estado costuma ceder à pressão social quando vivemos momentos nos quais fatos concretos expõem a incompetência do poder público, o vento dos meios de comunicação sopra na direção de uma demanda social e a sociedade civil protesta. Temos de manter, portanto, a harmonia entre duas formas de ação da sociedade civil unida: fazendo o que não precisa esperar pela ação do poder público e levando o Estado a cumprir seu papel constitucional.

Que a nossa filantropia não sirva de desculpa para a nossa falta de engajamento político.

Todos se converterão?

Há dois extremos que precisamos evitar quando o assunto é o uso das Escrituras nas ações político-sociais: resumir a missão da igreja ao ativismo social sem Bíblia e forçar o uso da autoridade bíblica na vida daquele que não crê na Bíblia.

É perda de tempo pregar o evangelho para quem não quer ouvir e não aceita o que chamamos de cosmovisão cristã — e que, por isso mesmo, recusa-se a lidar com os problemas sociais com base nos pressupostos intelectuais cristãos. Isso não nos exime de sentar à mesa com essa mesma pessoa e discutir políticas públicas que determinarão tanto o destino dela quanto o nosso.

A fé não é de todos. Parte do chamado da Igreja é dialogar com a sociedade não cristã, composta por milhares que não se converterão nunca, e encontrar saídas para problemas sociais que todos enfrentamos. Estamos no mesmo barco. Os votos de convertidos e não convertidos têm o mesmo valor.

Imagine que você marca uma audiência com um secretário de Estado e, na ocasião, prega o evangelho a ele. Ele pode se converter ou não. De uma forma ou de outra, contudo, o que falar dos quase cinco mil mortos pela polícia em operações nas áreas pobres da cidade, os civis inocentes que morreram, os bandidos que foram executados pela polícia e os policiais que tombaram? O que devemos declarar a ele além de "Jesus Cristo é o Senhor"?

A luta pela justiça social é corolário da verdadeira pregação. Levar o amor de Deus, pela via do evangelismo, aos que não o conhecem envolverá sempre a prática do evangelho. Caso contrário, você estará levando uma mensagem que será ouvida por quem não crê que você crê.

Haverá ocasiões em que a autoridade de cima poderá ser levada em consideração pelo seu interlocutor. Em tantos outros momentos, a única base para o diálogo será a autoridade de baixo, do senso comum, dos valores compartilhados por seres humanos. Nessas horas, ao cristão cabe usar uma persuasão que seja bíblica, mas que tenha como ponte o que os seres humanos, em geral, reconhecem como justo, bom e belo. Ou que os instrua, mostrando que, embora

TEOLOGIA DA MISSÃO | **107**

não tenham as Escrituras como sua regra de fé e prática, o ponto de vista delas é mais sensato e condizente com a dignidade humana. Sem isso, só conseguiremos falar para dentro da Igreja.

Nesse sentido, a Igreja deveria usar mais a Declaração Universal dos Direitos Humanos no diálogo com os que se mostraram refratários à autoridade bíblica. Ela é, em grande parte, subproduto de uma ética cristã sem as motivações cristãs. Não há dúvida acerca da imensa utilidade para a promoção da justiça que se encontra na conjugação de esforços de pessoas que professam fé em diferentes visões de mundo.

O templo e a rua

Vivemos em nossas igrejas uma realidade aterradora: pessoas estão sendo ensinadas do púlpito a viver tão somente para a manutenção da estrutura eclesiástica e a ver como desperdício de vida o tempo gasto no trabalho. Elas acabam crendo que só encontrarão sentido para viver caso se dediquem exclusivamente à igreja, satisfazendo-se com um cristianismo que não forma homens de espírito público.

O tempo que o cristão gasta com o mundo, quando acaba o culto e todos voltam para suas casas, deve ser visto sob três perspectivas.

Primeira, o exercício da vocação profissional deve ser compreendido como tão santo quanto o tempo dedicado à igreja. O tempo investido em trabalho não é desperdiçado com o "mundo". É uma oportunidade de servir ao próximo, enriquecer a vida da sociedade e glorificar a Deus. Imagine a vida da igreja num mundo sem professores, faxineiros, médicos e advogados, entre outros. Todos os recursos por meio dos quais templos são erigidos, missionários

108 | TEOLOGIA DA TRINCHEIRA

são sustentados e contas da igreja são pagas provêm do trabalho duro de pessoas cuja atividade profissional é muitas vezes rotulada pela igreja como "profana" ou "menos sagrada" do que o trabalho do pastor.

Segunda, a luta pela justiça social deve ser vista como consequência natural da pregação que conduz o ser humano a harmonizar ética privada com espírito público. Cristianismo não se resume a preocupação com tabaco, álcool e pornografia. É também angústia santa em face da condição dos que sofrem abuso de poder, têm seus direitos violados, são ignorados pelo Estado. Todo aquele que foi tangido na alma pelo evangelho de Cristo ama a Deus e a tudo o que Deus ama. Isso significa amar filho, cônjuge, pai e mãe, mas, também, o pobre, o preso e o explorado.

Terceira, a atividade profissional exercida com excelência e o engajamento pessoal por uma sociedade mais justa devem ser vistos como meios de proclamação do evangelho. Trabalho e ativismo devem ser feitos por motivo de consciência, independentemente dos resultados evangelísticos. Quem os pratica, contudo, deve saber que será sempre respeitado por aqueles que veem beleza na vida de quem professa o cristianismo.

Há uma vida a ser vivida do lado de fora da igreja. Seus desafios são tamanhos que o cristão autêntico anseia pelo retorno ao templo, a fim de ser renovado em seu compromisso de levar o reino de Deus para locais onde imperam a injustiça e a morte.

Evangelização, pregação e luta por justiça social

Participei de um encontro em Recife no qual eu disse algo que gerou certa polêmica: afirmei que a evangelização não é a solução para os problemas político-sociais do Brasil, e isso por três razões principais.

Em primeiro lugar, pelo simples fato de a fé não ser de todos e as Escrituras Sagradas ensinarem que milhões nunca se converterão. Isso é um fato teológico para o qual há ampla comprovação empírica. Os cristãos raramente são maioria numa cidade.

Em segundo lugar, pelo fato de uma pessoa ter sido evangelizada e levada à fé, não significa que ela atuará politicamente. Púlpito fraco, discipulado deficiente, condicionamento cultural, falta de interesse por boa literatura política e recusa de ler jornais, entre outras razões, podem representar, lá na ponta, uma igreja alienada politicamente.

Em terceiro lugar, o interesse político não significa que o convertido estará preparado para atuar em uma esfera profundamente dialética, cheia de contradições, na qual o sonho cristão tem de tolerar o que a natureza humana não permite ter. Preparo para o engajamento político demanda tempo, estudo, experiência de campo e conhecimento teológico.

A evangelização tem suas consequências político-sociais. Ela pode representar a formação de um grupo de pressão política. Verdadeiros convertidos podem ocupar posições estratégicas na sociedade. Bons cristãos podem exercer influência positiva pelo exercício de sua profissão. A evangelização sempre será a principal missão da Igreja.

Contudo, se a desigualdade social nos perturba, as graves violações dos direitos humanos nos revoltam, os escândalos de corrupção fazem emergir fome e sede de justiça — e se sonhamos em ser uma Igreja que combate as estruturas de poder que desgraçam a vida de milhões de pessoas —, devemos ser movidos a despertar o convertido para a dimensão pública da vida cristã. Precisamos levá-lo a pôr os pés na lama das favelas e ensiná-lo por meio de um discipulado sólido a compreender as implicações políticas da crença na criação do homem à imagem e semelhança de Deus.

Mais que isso. A Igreja terá de dialogar com aqueles que não professam fé em Cristo e, mediante persuasão esperançosa, baseada na graça comum, levar o não convertido a lutar por aquilo que é justo e bom. Não é este o chamado da Igreja: ser luz que desperta a consciência e faz o homem enxergar o que antes não conseguia ver? Não são poucos os que se converterão ao perceber, pelo contato com cristãos conscientes dos seus deveres cívicos, que o cristianismo não é ópio alienante. Por outro lado, há muita gente fora da igreja fazendo o bem que a igreja não faz, pronta para se juntar aos cristãos na trincheira da luta por uma sociedade mais igual, fraterna e livre.

▼ ▼ ▼

Se, por um lado, evangelizar não é tudo, lutar pela justiça social também não. Imaginemos o melhor dos mundos: fim da desigualdade social, erradicação da pobreza, queda radical nos índices de homicídios, acesso a educação de qualidade, sistema de transporte urbano eficiente e confortável, pleno emprego, moradia para todos, redes de esgoto eficazes, serviço de atendimento hospitalar de excelência, áreas de lazer espalhadas pelas cidades, ruas bem cuidadas e belas, fim da poluição urbana, erradicação de doenças transmissíveis, jornada de trabalho mais humana, investimento de verba pública na produção artística, progresso tecnológico, avanço nos diversos campos de pesquisa científica. Acrescente o que quiser. Vá longe.

Agora, pense e responda: em que espécie de mundo viveríamos?

TEOLOGIA DA MISSÃO | **111**

Seria um mundo em que as pessoas teriam tempo para o amor, a literatura, a prática de um *hobby*, o contato com a natureza, a busca pelo sentido da existência. Livres da batalha sem trégua pela sobrevivência e da "guerra de todos contra todos", os cidadãos deste Brasil abençoado passariam a ter mais tempo para pensar. Boa política é aquela que nos permite filosofar. O problema com esse colosso de país é o tédio que potencialmente causaria na vida dos cidadãos. Ter tempo para pensar pode provocar angústia, uma vez que remete o ser humano a considerar a fragilidade das coisas. A condição humana é trágica.

Nossa vida é breve, penosa e cheia de incertezas; por isso, carece de uma esperança que nenhum sistema de governo pode oferecer. O Estado desaparece quando estamos num leito de hospital enfrentando o transe da morte. Ali, pouco nos importa viver num modelo político de direita, esquerda ou centro. Locke, Rousseau, Montesquieu, Adam Smith e Karl Marx não têm mais o que nos comunicar. Neste mundo não há consolação para aquele que se vê na iminência de se separar para sempre de tudo o que ama.

Mesmo assim, um país com justiça, igualdade, liberdade, fraternidade e paz daria condições para que muitas pessoas se aprofundassem naquilo que lhes trouxesse esperança. Paulo escreveu: "[Deus] é poderoso para fazer infinitamente mais do que tudo quanto pedimos ou pensamos, conforme o seu poder que opera em nós" (Ef 3.20). Assim, as pessoas que conheceram a razão para viver e morrer, que é Cristo, teriam mais tempo para orar, ler as Escrituras, adorar a Deus na igreja, servir ao próximo, anunciar o evangelho, amar, celebrar a vitória de Cristo sobre a morte. É o que chamo de ócio santo: o tempo livre que permite ao ser humano meditar sobre o Estado, a vida, o amor, a

112 | TEOLOGIA DA TRINCHEIRA

esperança e a liberdade, com todo o espanto e a alegria de quem descobriu o sentido da existência.

Ao combater a injustiça social, portanto, o cristão luta, entre outras coisas, para que as pessoas tenham tempo para pensar, seja no seu desespero, seja na sua esperança.

É inconcebível deixar de pregar o evangelho. A boa-nova de Jesus é o que nos dá o maior dos motivos para lutar pela justiça social. Mais do que isso, é a esperança do cristianismo que nos livra do tédio de viver num Estado no qual as condições sociais permitem às pessoas examinar a vida. Como disse Blaise Pascal, "Nada pode ser mais miserável do que se sentir intoleravelmente deprimido quando se é forçado à introspecção por não haver meios de distração".[2]

▼ ▼ ▼

Certos temas são recorrentes na maior parte dos púlpitos brasileiros. Percebe-se a Igreja bastante preocupada com questões como lei da homofobia, aborto, pornografia e divórcio. Por motivo de integridade intelectual, não se pode crer no Novo Testamento e menosprezar esses assuntos, evidentemente. A liberdade de expressão, os direitos da criança, a santidade da vida humana, a pureza sexual e a importância do matrimônio são valores inegociáveis do cristianismo. Teme-se que, se transgressões como essas não forem combatidas pela Igreja, Deus julgará o seu povo.

Todavia, essas não são as únicas transgressões que a Bíblia denuncia e condena. Há iniquidades tão graves quanto elas que, embora estejam presentes de modo histórico, disseminado e crônico no Brasil, raramente são mencionadas em nossos púlpitos. Por exemplo, a desigualdade social, os homicídios, as péssimas condições de moradia do pobre, a superlotação dos presídios, os salários baixos, a fome, a condição precária dos hospitais, a falta de acesso a educação de qualidade.

Como pensar que seremos julgados por Deus pela prática de alguns pecados e não de outros? O juízo sempre começa pela casa de Deus. E precisamos falar sobre indivíduos que dizem representar os interesses da Igreja nas câmaras municipais, assembleias legislativas estaduais e no Congresso Nacional, eleitos com o voto do cristão, mas que se mostram reacionários, vaidosos, alienados e corruptos como poucos. Como deixar de fazer menção das igrejas que lavam dinheiro? Como não mencionar os pastores que deixam a congregação se transformar em currais eleitorais de canalhas em troca de concessões de rádio, aparelhagem de som, legalização de propriedade ou tijolos para construir o templo?

Não podemos deixar de deplorar as grandes mobilizações, como marchas ufanistas, capazes de levar milhares às ruas para nada — absolutamente nada! Pessoas são assassinadas aos milhares nas cidades brasileiras, dinheiro público escoa pelo bueiro da corrupção, metade da população habita em bairros sem rede de esgoto e a igreja se reúne em massa nas ruas das principais cidades do Brasil, sem ao menos mencionar as mais desavergonhadas provocações à santidade de Deus. Qual é o motivo para a igreja raramente ter organizado uma passeata pelos direitos e garantias fundamentais do povo brasileiro? A preocupação com a vida, no seu sentido mais amplo, não está presente no coração da maioria dos membros, uma vez que se encontram completamente alheios à obscenidade da violação dos direitos humanos.

Deixaremos de denunciar as instituições de ensino teológico que ensinam o exato oposto do que é proclamado pelas

Escrituras Sagradas? Antes de apontar para os pecados dos de fora, precisamos denunciar pastores e líderes evangélicos que ostentam joias de ouro, ternos caríssimos e carros luxuosos, frutos de um padrão de vida baseado em uma teologia que só serve para justificar a riqueza dos profetas de causa própria, enquanto milhões de crentes vivem na pobreza.

Convém proclamar, ainda, que é uma vergonha a existência de campanhas de levantamento de ofertas que assombram todo e qualquer brasileiro com cérebro, uma vez que apelam para a ignorância e a crendice, num contexto de total falta de transparência da administração financeira de instituições evangélicas.

As afrontas a Deus, tanto na nossa nação quanto na igreja, são mais amplas e sérias do que pensamos. Temos provocado um Deus santo. Por isso vemos tanto desprezo da sociedade civil pela Igreja e pelo pastor, junto à falta de interesse dos meios de comunicação pelo que a Igreja pensa. Perdemos a credibilidade. Setores inteiros da sociedade não conseguem se imaginar presentes em cultos barulhentos, dirigidos por homens de vida dúbia, onde não se fala coisa com coisa.

As maiores ofensas a Deus na nossa nação só serão combatidas pela igreja quando ela deixar de agir de modo espasmódico, ingênuo, estreito, superficial. Essas batalhas não se vencem sem evangelização que prega arrependimento, fé em Jesus Cristo, oração, protesto nas ruas, busca de informação e pressão sobre as três esferas de poder da república, entre outras ações tão ausentes da prática das igrejas do nosso país.

O que houve conosco? Somos protestantes! Antes de nós, houve uma legião de homens e mulheres que, por crerem no que creram, protestaram e selaram seu testemunho com o próprio sangue.

Enquanto nossa pregação for estranha às reais demandas morais e espirituais do Brasil, carente de relevância, pobre de pertinência histórica, destituída de discernimento temporal e privada de fidelidade às Escrituras, não sairemos do lugar. Continuaremos a deixar de pregar sobre aquilo que tão extensamente encontramos nos textos proféticos da Bíblia — e que seria proclamado com clareza, paixão e ousadia por qualquer profeta do passado que estivesse em nosso lugar. Aqueles homens costumavam ser valentes, não apenas dentro do templo, mas nos locais onde as verdades referentes às demandas do direito e da justiça tinham de fluir como um grande e caudaloso rio.

▼ ▼ ▼

Há momentos em que penso que tudo o que desejamos, na verdade, é que todos se danem. O importante, parece, é só a nossa família. Não há sociedade. Há famílias. Fingimos que vivemos em sociedade e que somos cristãos, perante um Deus que não finge quando diz na sua Palavra que julgará o que fecha o coração ao pobre: "O que tapa o ouvido ao clamor do pobre também clamará e não será ouvido" (Pv 21.13).

Afirmo: é impossível conhecer a Deus, a missão da Igreja no mundo e os bolsões de miséria do Brasil e não abraçar a missão aos pobres. Quem conhece a Deus procura obedecer-lhe por amor e temor. Servir ao pobre é expressão da mais evidente obediência. Poucos mandamentos são tão constantemente lembrados na Bíblia quanto a misericórdia para com o necessitado.

Tenho visto muita miséria. Homens e mulheres vivendo em ambientes surreais, dependentes de *crack*, com filhos imundos, descalços e assustados. Socorrer os mais miseráveis da terra deveria ser tanto a meta prioritária das políticas públicas do Estado quanto o principal compromisso ético dos cristãos. Precisamos ver como expressão de compaixão o ato de pressionar as autoridades, uma vez que é amor buscar solução política para problemas sociais quando esse é o único caminho para sacar seres humanos da miséria. A igreja que se esquece do pobre nega sua essência, uma vez que é da natureza de sua vocação, acima de tudo, revelar o caráter de Deus.

> Bem-aventurado aquele que tem o Deus de Jacó por seu auxílio, cuja esperança está no SENHOR, seu Deus, que fez os céus e a terra, o mar e tudo o que neles há e mantém para sempre a sua fidelidade. Que faz justiça aos oprimidos e dá pão aos que têm fome. O SENHOR liberta os encarcerados. O SENHOR abre os olhos aos cegos, o SENHOR levanta os abatidos, o SENHOR ama os justos.
>
> Salmos 146.5-8

Quem conhece a missão da Igreja tem interesse por seu cumprimento, por força da amplitude e da beleza de seu chamado divino. A forma mais abrangente de a Igreja cumprir sua vocação, contudo, não é pregar o evangelho ou lutar pela justiça social, mas, sim, revelar o caráter de Deus ao mundo para a glória do seu santo nome.

Há algum momento em que a Igreja seja mais luz do mundo do que quando, a um alto custo pessoal, cuida dos que mais carecem de socorro e, assim, combate a pecaminosa indiferença para com o necessitado? Não há como não sentir compaixão por quem vive de modo desumano.

O negócio é não conhecer a Deus, a Igreja e a miséria. Fique onde está. Caso contrário, você nunca mais deixará de andar por lugares fétidos e imundos, onde jaz o que de mais precioso Deus criou.

O discípulo de Cristo

Conheço poucos autores tanto quanto John Stott. Li praticamente tudo o que ele escreveu. Não há palavras para descrever sua influência em minha vida. Grande parte de minha visão sobre a missão da Igreja está alicerçada em seus escritos. Houve um dia em que sonhei, em lágrimas, apresentar a ele o resultado de seu ministério em minha trajetória. Quando nasceu o Rio de Paz, com a repercussão de suas manifestações no Brasil e no mundo, meu desejo era dizer a ele que quase tudo havia sido inspirado e dirigido por seus escritos. Não tive esse privilégio. Aprouve a Deus que eu escrevesse seu obituário para o jornal O *Globo*, deixando o registro escrito de sua influência sobre o nosso movimento de defesa dos direitos humanos e redução do índice de homicídios.

Em seu último livro, escrito quando ele já estava com 88 anos — dois anos antes de sua morte —, Stott selou seu ministério literário com a mesma lucidez, fidelidade às Escrituras, clareza, polidez e compromisso com a missão integral da Igreja que tanto caracterizaram seu trabalho. Vale a pena ressaltar as suas preocupações ao ver a morte se aproximar. O *discípulo radical*[3] é dividido em oito capítulos, nos quais o autor expressa as principais características de um discípulo de Jesus: inconformismo, semelhança com Cristo, maturidade, cuidado com a criação, simplicidade, equilíbrio, dependência e morte.

Inconformismo. Os cristãos não devem assumir a forma do mundo. Stott aponta quatro tendências contemporâneas que ameaçam nos tragar: pluralismo (que relativiza a verdade), materialismo (que torna absoluto o consumismo),

118 | TEOLOGIA DA TRINCHEIRA

relativismo (que relativiza a ética) e o narcisismo (que torna absoluto o ego).

Semelhança com Cristo. Fomos predestinados para ser parecidos com Cristo na encarnação, no serviço, no amor, na longanimidade e na missão. Somos transformados cada dia pelo Espírito Santo para nos tornarmos parecidos com Jesus e, um dia, seremos como ele é.

Maturidade. Stott ressalta que a maturidade cristã é algo difícil de alcançar. A maioria de nós sofre de imaturidades prolongadas, pois a criança ainda se esconde em algum lugar da alma do adulto. Além disso, existem diferentes tipos de maturidade: a física (ter corpo saudável e bem desenvolvido), a intelectual (ter mente disciplinada e cosmovisão coerente), a moral (ter as faculdades exercitadas para discernir não somente o bem, mas também o mal) e a emocional (ter personalidade equilibrada, capaz de estabelecer relacionamentos e assumir responsabilidades). Porém, acima de tudo, existe a maturidade espiritual no relacionamento com Cristo.

Cuidado com a criação. Stott condena a exploração da natureza, revelando profunda consciência ecológica, voltada para o desenvolvimento sustentável. O autor discorre sobre as principais ameaças à natureza: crescimento populacional acelerado, depleção dos recursos da terra, descarte de lixo e mudança climática. Ele enfatiza a necessidade de os cristãos levarem a sua responsabilidade ambiental a sério.

Simplicidade. Ser criterioso em amor quanto ao uso de bens e dinheiro é corolário da vida que foi tangida pela verdade do evangelho. Os discípulos de Cristo são chamados a morrer para si mesmos a fim de viver para o próximo. Qual é o lugar do pobre na vida da sua igreja? Quanto você tem doado? Você se preocupa com gastos desnecessários? Procura economizar a fim de socorrer os miseráveis deste mundo? Podemos continuar vivendo num país socialmente tão desigual como o nosso, no qual milhões vivem destituídos dos principais elementos essenciais para que a vida humana floresça e se desenvolva, sem que isso não nos diga absolutamente nada? Há diferença entre ser cristão num país rico e ser cristão num país tomado por bolsões de pobreza? Você não pode deixar de responder a essas perguntas.

Equilíbrio. Os cristãos precisam buscar equilíbrio de vida. Stott usa as mais conhecidas metáforas bíblicas sobre a Igreja, a fim de mostrar os diferentes aspectos da eclesiologia do Novo Testamento. Com isso, constrói um quadro harmonioso, que pode gerar mais equilíbrio à prática do cristianismo.

Dependência. Stott expõe suas fraquezas a fim de desfazer qualquer espécie de visão idealizada sobre sua vida. Ele destaca que viemos ao mundo totalmente dependentes do amor, do cuidado e da proteção de outros e passamos por uma fase na vida em que outras pessoas dependem de nós. Isso, na realidade, não é nenhum mal ou realidade destrutiva, mas parte do plano, da natureza física que nos foi dada por Deus. Na pessoa de Cristo, aprendemos a dependência que não destitui uma pessoa de sua dignidade, de seu valor supremo.

Morte. Stott afirma que uma das características mais proeminentes do verdadeiro regenerado é a morte. O caminho para a vida é a morte. Não há salvação sem morte. Ninguém entra na vida se não morrer primeiro. O discipulado envolve morte também. A missão da Igreja é levada a cabo mediante o alto preço de seu amor sacrificial. Nesse sentido, a perseguição é inevitável na vida do discípulo radical e, em alguns casos, pode levar ao martírio.

Calvinismo e a exploração do pobre

Sou calvinista. Não sigo o calvinismo mediado pela teologia da direita americana; meu calvinismo é o que se encontra presente nos escritos de Calvino. Percebo que, no Brasil, fala-se muito sobre o pensamento soteriológico de Calvino, porém quase ninguém segue — ou mesmo conhece — o pensamento político-social desse grande reformador. Uma coisa é o calvinismo de Genebra do século 16; outra, o do conservadorismo de direita americano do século 21.

Reproduzo a seguir trechos do livro *O pensamento econômico e social de Calvino*, do teólogo André Biéler,[4] que revelam a proposta de Calvino — que, naturalmente, deveria ser seguida por quem se denomina "calvinista".

> Quando, de si mesma, vociferante brada a opressão, se o juiz, assentado em lugar eminente, faz semblante de nada ver, denuncia o Profeta que tal dissimulação não ficará impune.

Diante disso, pergunto: quantos profetas calvinistas brasileiros denunciam a corrupção do Judiciário e o silêncio dos magistrados em face das mais graves injustiças praticadas em nossa terra?

> Contra todas as formas de perversão social, contra os simulacros de ordem, contra os que abusam do poder que receberam de Deus, poder político ou poder de riqueza, contra toda forma de opressão, devem insurgir-se os cristãos e a igreja; porque o próprio Deus é adversário deles.

Onde encontramos o cristianismo que denuncia o abuso de poder e o conluio entre o poder econômico e o poder político, que saqueiam os cofres públicos, fomentam planos de poder e impedem que políticas públicas sejam implementadas onde reina a miséria?

Que todos os contratos contrários à integridade e boa fé sejam aqui condenados em geral. A corrupção que leva à perversão dos juízos, ou pisoteia a equidade e toda lisura, perverte e falseia todos os contratos e nada deixa de são e de salvo.

Até quando o combate à corrupção endêmica e histórica será tarefa de poucos no Brasil? Por que a sociedade e a igreja não cobram mais transparência, lisura e excelência na administração pública?

Não é coisa censurável se aquele que tem família grande tenha também uma residência ampla. Quando, porém, inflados de ambição, sem razão querem os homens aumentar suas casas, somente para que tenham mais espaço, e que um homem ocupe sozinho uma residência que poderia abrigar a muitos, vã ambição é e coisa que, a bom direito, se pode censurar.

Onde encontramos a simplicidade como ideal de vida em nossas igrejas? Quantos ricos são admoestados a diminuírem seu padrão de vida a fim de que tenham com que socorrer os necessitados?

Quer Deus haja entre nós tal analogia e igualdade que acorra cada uma aos carentes conforme se lhe estende o poder, para que não tenham uns até a superfluidade e outros sejam necessitados até à indigência.

Até quando julgaremos uma declaração como essa como infantilidade de esquerda infiltrada no protestantismo brasileiro?

Reconheço, sem dúvida, que se nos manda estabelecer igualdade tal que lícito não seja aos ricos o viverem mais faustosamente que os pobres, mas a igualdade deve ser mantida de tal modo que ninguém seja deixado na penúria e que ninguém esconda sua abundância, defraudando a outros.

Lutamos pela diminuição do fosso que separa ricos e pobres no Brasil? Por que, apesar do crescimento das igrejas evangélicas no país, continuamos a ser um dos países mais desiguais do mundo?

Impõe-se-nos guardar-nos dos dois extremos, pois, de um lado há muitos que, sob a cobertura do governo civil, conservam fechado e recluso tudo quanto possuem, defraudando os pobres e tendo-se na conta de mais do que justos, desde que não lancem mão dos bens de outrem.

Quem gostaria de trabalhar oito horas por dia, seis vezes por semana, dedicando-se a tarefas enfadonhas, repetitivas ou insalubres, para receber no final do mês um salário mínimo? Depois de três dias de trabalho, o trabalhador brasileiro já faz por merecer o salário do mês inteiro. Condenar esse tipo de relação trabalhista é ficar do lado dos profetas e apóstolos.

Eis por que disse eu que, se houvesse uma só gota de fé entre nós, seríamos inflamados de nova maneira de fazer o bem; estamos fechados, cada um retira o que tem, de tal modo que, em se tratando de dar, parece que terra nos deve faltar. Destarte, mostramos que confiança nenhuma temos em Deus.

Por que abundamos em fé que declara a prosperidade e não confessa o socorro ao pobre como expressão mais grandiosa de confiança em Deus?

TEOLOGIA DA MISSÃO | 123

E daí, esta injunção é aí amiudadamente repetida aos bispos e diáconos, que as riquezas que administram não se destinam a eles, mas à necessidade dos pobres e que serão eles culpáveis de homicídio, se as dissipam malevolamente ou para si as retêm.

Quantas igrejas no país estão combatendo a desigualdade social em suas próprias fileiras? Quantos bispos e diáconos calvinistas abrem mão da abundância pessoal em favor dos pobres?

Quando não há compaixão para com os pobres, quando são eles oprimidos, quando são provocados à ira, quando são despojados, e misericórdia não campeia, tudo quanto se possa fazer a mais não é senão abominação diante de Deus; a tudo rejeita Ele, a menos que seja humano de sorte a ter piedade dos que sofrem falta e a socorrê-los em sua necessidade [...] pois que, segundo já disse, os homens querem sempre acertar-se com Deus sem fazer benevolência.

Compreendemos que a prática da generosidade é sinal por excelência de conversão sincera? Ensinamos que os avarentos não entrarão no reino de Deus? Como é o discipulado do rico em sua igreja?

Quanto aos emprestadores de dinheiro, bem difícil é achar no mundo um só deles que não seja rapace e gatuno, vale dizer, dado a ganho desonesto e iníquo.

Quem no Brasil ousa erguer a voz contra a agiotagem dos bancos?

Há também que coisa assaz estranha, e iníqua, é esta: enquanto cada pessoa ganha a vida com grande labuta, enquanto os trabalhadores se esfalfam na realização de suas jornadas, os artesãos com muito suor servem aos outros; os mercadores não somente trabalham, mas ainda se expõem a numerosos incômodos e perigos, os senhores agiotas, assentados em sua banca sem nada fazer, recebem tributo do labor de todos os demais.

Por que não são confrontados pelos nossos pregadores os que usam dinheiro para fazer dinheiro, sem produzir riqueza para o país, vivendo da exploração do pobre e da classe média, ganhando fortuna com empréstimos cujos juros levam ao desespero famílias inteiras?

Enfim, esse é o calvinismo de que necessitamos. Vindo de Genebra, sem ter seu conteúdo diluído pela pregação de quem não conhece a miséria, não tem alma para se colocar no lugar do explorado e só conhece a soteriologia, sem conhecer o pensamento político-econômico do grande reformador. É impossível se considerar calvinista e dar as costas ao todo do pensamento de Calvino.

4

Teologia da razão

Ademais, por isso que no conhecimento de Deus está posto o fim último da vida bem-aventurada, para que a ninguém cerrado fosse o acesso à felicidade, não só Deus implantou na mente humana essa semente de religião [...] mas ainda de tal modo se há revelado em toda a obra de criação do mundo, e cada dia meridianamente se manifesta, que não podem eles abrir os olhos sem serem forçados a contemplá-lo. Por certo que sua essência transcende a compreensão, de sorte que aos sentidos humanos todos em muito lhes escapa o alcance sua plena divinitude. Entretanto, em suas obras todas, uma a uma, imprimiu inconfundíveis marcas de sua glória, e, na verdade, tão claras e notórias, que, por mais broncos e obtusos que sejam, tolhida lhes é a alegação de ignorância [...] para todo e qualquer rumo a que dirijas os olhos, nenhum recanto há no mundo, por mínimo que o seja, em que se não vejam a brilhar ao menos algumas centelhas de sua glória. Nem podes, realmente, de um só relance contemplar quão latamente se estende esta amplíssima e formosíssima engrenagem, que não seja de toda parte esmagado todo pela intensidade imensa de seu fulgor.[1]

João Calvino

O cristão é chamado para amar plenamente a Deus. Seu coração foi tangido pela graça, que o fez sentir a doçura do

126 | TEOLOGIA DA TRINCHEIRA

conhecimento do Senhor pela mediação do evangelho. Sua vontade encontra-se resoluta em se dedicar ao serviço do ser mais amável do universo. Tudo se configura ao cristão de modo profundamente racional. Para quem está do lado de fora, o cristianismo é enigmático; para quem está do lado de dentro, pura luz, verdade e beleza. Essa realidade pode ser descrita pela mente. O cristão pode falar para si mesmo sobre a fé e apresentar os motivos intelectuais da adoração.

Este capítulo é dedicado a essa dimensão racional da vida cristã. Nele, procuro tratar de questões que assombram a vida de homens e mulheres que, após crerem no senhorio de Cristo, estão em busca de melhor compreensão da verdade.

Pecado e salvação

O evangelho de Cristo jamais será apreciado pelo homem enquanto o conceito de pecado não for corretamente compreendido pela razão. As boas-novas de Cristo anunciam à humanidade que Deus, por causa da morte do seu único Filho, perdoa todo aquele que se arrepende e crê. Como nos interessaremos, contudo, por um perdão de que julgamos não precisar?

A indiferença que muitos demonstram em relação ao ponto de vista bíblico sobre o pecado deve-se, em grande parte, ao pecado que temos cometido contra o conceito de pecado. Nós o transformamos numa caricatura. Pecar não é cometer um erro banal que deve ser punido por um ser implacável, caprichoso e meticuloso. Pecar é não fazer a vontade de Deus, aquele que nos criou e sustenta cada um dos nossos batimentos cardíacos. Ele deseja que vivamos a vida que ele próprio vive — uma vida de amor. Porém, nós não conseguimos amar. Somos viciados em nós mesmos; nossa maior ambição é a nossa felicidade, que nos leva a relativizar a verdade, passar por cima do próximo e odiar a Deus.

Qualquer livro de História prova que há algo errado com a humanidade. Nossas guerras matam mais do que as tragédias naturais, e somente no século 20 foram mortos por mãos humanas mais de 180 milhões de pessoas no planeta. E não é só isso: mais de um bilhão de seres humanos vivem na miséria.

O evangelho é a boa notícia, que revela ao homem o amor de um Deus que desviou da raça humana a sua ira e a trouxe para si mesmo, punindo na pessoa do seu Filho os nossos pecados — a nossa incapacidade de amar. A justiça exigia a punição de todos, mas o amor desejava o perdão. Cristo morreu para que o amor e a justiça pudessem dar as mãos. Agora, ele anuncia a todos que se arrependam e creiam em Cristo. Com isso, serão libertos da escravidão do egoísmo e da culpa e iniciarão um processo de transformação pessoal pelo relacionamento diário com aquele que veio para nos ensinar a amar.

Pecar é não amar. Não tenho nenhuma vergonha de dizer que o homem é pecador. Como também não tenho vergonha de anunciar a vinda do amor ao mundo de desamor, a fim de salvar os que desaprenderam a amar.

▼ ▼ ▼

Li certa vez o texto de um autor brilhante em que ele afirmava desconsiderar por completo a vida após a morte. Tal autor declarou a seguinte coisa: "Meu ceticismo quanto às questões do outro mundo é grande demais". Pensei: "Como pode ele apresentar um sonho de modelo de sociedade, mas para ele a eternidade não importar?". Pensei: "Sou um caso perdido".

Sou um caso perdido, porque não acredito em verdadeira alegria sem resposta para a morte, que a qualquer momento pode separar o homem de tudo aquilo que ama; e continuarei afirmando até o fim que a crença no tombo do *não ser* manda igualmente para o vácuo todos os nossos projetos de felicidade.

Sou um caso perdido, porque sinto claustrofobia no planeta onde nasci, ansiando pela vida no outro mundo.

Sou um caso perdido, porque nada no mundo me satisfaz. Fui tomado em algum ponto da minha vida por uma ambição consumidora que reinos, riquezas ou mulheres não podem satisfazer. Anseio por participar da beleza infinita, contemplá-la, amá-la, adorá-la.

Sou um caso perdido, porque minha mente me faz ver ameaças à minha felicidade por todo lado, exceto se eu conceber minha vida sob os cuidados de um ser pessoal todo-poderoso.

Sou um caso perdido, porque amo política, mas, quando anelo pela melhoria da condição de vida do homem, faço isso pensando em que ele tenha mais tempo para o seu Criador.

Sou um caso perdido, porque considero uma excelente apologética apontar para o mar enluarado e dizer que há Deus. Junto-me a Galileu Galilei, que afirmou: "Quando olho para o universo, com toda a sua complexidade e beleza, sou levado a um único fim: prestar culto à beleza do Criador".

Sou um caso perdido, porque conheci Jesus Cristo e, desde então, sinto-me totalmente amarrado à sua mensagem, que me seduziu e me faz dizer juntamente com o apóstolo

Pedro: "Senhor, para quem iremos? Tu tens as palavras da vida eterna" (Jo 6.68).

Sou um caso perdido, porque não consigo mais amar qualquer deus que não tenha entregue à morte seu único Filho, por amor a você e a mim.

Sou um caso perdido, porque nem mais a palavra "deus" me satisfaz. Não é a fé em um deus que me faz descansar, mas sim a fé no Pai, Deus infinito em poder, santidade e doçura.

▼ ▼ ▼

Quando minha filha Alyssa tinha 4 anos, veio até mim para apresentar sua primeira crise existencial.

— Papai, eu vou ficar velhinha e depois morrer? Eu não quero morrer.

— Não temos de nos preocupar com isso, filha; aquele que nos criou cuidará de nós. Ele é o nosso Deus e Pai. Mas por que você está preocupada com isso?

— Por causa do Muffet.

Muffet era o nosso amável cão labrador, que viveu treze anos conosco e morreu em 2014. Naquele momento, descobri que sua morte mexeu com a alma de minha filha. Se ela puxou o pai, a morte desempenhará papel central em sua vida, o que a levará a buscar, com todo o seu ser, resposta para a maior certeza e o maior terror do espírito humano: o tombo no *não ser*; ou uma vida de miséria após a partida deste mundo. Farei o que estiver ao meu alcance para que ela encontre a resposta que um dia encontrei: "Sabemos que, se a nossa casa terrestre deste tabernáculo se desfizer, temos da parte de Deus um edifício, casa não feita por mãos, eterna, nos céus" (2Co 5.1).

130 | TEOLOGIA DA TRINCHEIRA

Para nós, cristãos, é um enigma alguém conseguir falar em felicidade sem ter a esperança da vida eterna. Espero deixar como herança para a Alyssa a fé no infinito amor de Deus, que hoje é o fundamento da minha sanidade mental.

A revelação escrita

Professo fé na veracidade da Bíblia. Creio na chamada inspiração plenária e verbal. As Escrituras são, em sua totalidade, Palavra de Deus. Sigo a linha de pensamento da apologética clássica, que estabelece alguns pontos inegociáveis:

Deus é real, santo e pessoal. A ideia de uma revelação só é absolutamente absurda se não acreditarmos nessa verdade.

A verdade existe e pode ser conhecida pelo homem.

Há verdades que o homem jamais conheceria se não fossem reveladas por Deus. A filosofia não pode tudo.

O homem é viciado na mentira. Mentimos o tempo todo. O maior compromisso que temos na vida é com a nossa felicidade pessoal. Por isso, amamos mais a nós mesmos do que à verdade. Distorcemos tudo. Fugimos de fatos que nos sejam inconvenientes. "O julgamento é este: que a luz veio ao mundo, e os homens amaram mais as trevas do que a luz; porque as suas obras eram más" (Jo 3.19).

Vivemos nas trevas. Temo-nos mostrado incapazes de responder a perguntas básicas, sem cujas respostas a realidade percebida é caótica, desesperadora, absurda. Quem somos? De onde viemos? Para onde vamos? Qual o sentido de uma existência curta, dura e incerta? Onde encontrar consolo para o fato de que um dia haveremos de nos separar de tudo o que amamos?

Um Deus de amor haverá de se compadecer dos habitantes desta terrível caverna moral e intelectual, onde o que se percebe são apenas sombras do mundo real, como Platão ressaltou. O homem precisa de luz.

Deus, na sua infinita misericórdia, se revelou ao homem por meio das Escrituras do Antigo e do Novo Testamentos.

Há evidências sobejas de que a Bíblia é a Palavra de Deus. Sua credibilidade histórica, a harmonia interna, o poder de transformar vidas, a adaptabilidade cultural, as respostas para questões que deixam o homem aturdido e sua beleza testificam da sua origem divina.

Há uma evidência, contudo, que só percebem os que receberam o testemunho interno do Espírito Santo, cuja operação graciosa revela a beleza das Escrituras e vence a obstinação, a mentira e a cegueira humanas.

Conhecer de modo salvador a verdade é contemplar com afeição santa a beleza de Cristo revelada no evangelho, o que garantirá sempre a prática da fé cristã em amor.

▼ ▼ ▼

A fé cristã está alicerçada no Verbo que se fez carne, e não no verbo que virou livro. Tudo o que sabemos, entretanto, sobre o Verbo que se fez carne está exclusivamente contido no verbo que virou livro. Não podemos separar Cristo da Palavra de Cristo. Dizer que o mais importante na vida de um ser humano é ter um encontro real com o Cristo vivo significa afirmar aquilo que o próprio Cristo ensinou.

Podemos conhecer teologia e não conhecer a Deus. Os demônios conhecem teologia, mas não amam o que sabem ser verdadeiro. Ninguém jamais foi salvo pelo simples fato de haver dado assentimento intelectual à Bíblia. O inferno inteiro crê e treme. Inferno é lugar de fé e de muita teologia. Lá, você só não encontra amor a Deus. Não há culto no inferno. Você pode encontrar, na livraria do inferno, tratados de teologia, mas não hinários.

A Bíblia, contudo, continua sendo a Palavra de Deus, por meio de cujo contato temos informação absolutamente exclusiva sobre nascimento, vida, espancamento, crucificação, morte, sepultamento e ressurreição de nosso Senhor e Salvador Jesus Cristo. Sem a Bíblia, expomo-nos a nos relacionar com o Diabo travestido de Cristo.

Relacionamento com o mundo

Há três motivos, pelo menos, que levam não cristãos a atacar de modo impiedoso e amplamente refutável (às vezes o ataque chega a ser infantil) o cristianismo:

Preconceito. Eles menosprezam o evangelho sem ao menos parar para considerá-lo. A razão é a aversão que têm pela visão caricaturada do cristianismo — às vezes, com a ajuda da religião, com todas as asneiras que põe na boca de Deus. Pode acontecer, também, de essa mesma pessoa ter horror a um ponto ou outro da Bíblia e, por isso, não se dispõe a avaliar o todo.

Incompetência. Ocorre muitas vezes de não cristãos falarem sobre o que não conhecem por pura falta de dedicação à matéria. Eles simplesmente não foram às fontes. Quando vejo os tais falarem tantas inverdades sobre a fé cristã, sou levado a duvidar de sua competência em sua área de saber.

Insensibilidade. O cristianismo é algo sobre o qual só se pode falar de dentro. Você tem de conhecê-lo por meio de uma experiência de conversão. O problema não é meramente intelectual. Acima de tudo, o que impede um não cristão de apreciar o evangelho e sobre ele falar com o máximo de isenção é o estado de seu coração, visceralmente avesso a Deus. De certa forma, é impossível que um não cristão fale sobre o cristianismo com propriedade. É como uma pessoa sem senso artístico ser convidada a apreciar os quadros que estão nas paredes do museu do Louvre.

Ao ouvir da próxima vez um não cristão opinar sobre o cristianismo, procure sondar suas fontes, avaliar seus interesses (para quem ele está trabalhando, a que poder está servindo, a qual realidade socialmente construída está escravizado) e reconhecer sua falibilidade.

▼ ▼ ▼

Não sou ecumênico. Nunca senti atração pela ideia de se negociar a verdade em nome da unidade. Na realidade, não existe oposição entre amor e verdade: podemos amar o próximo e discordar dele. É possível mantermos ao mesmo tempo a fidelidade à verdade e a fidelidade ao amor. Posso discordar da religião de alguém e me ver a seu lado numa manifestação em defesa dos direitos humanos. Posso dizer que certo pregador ensina o erro e, assim mesmo, garantir-lhe o direito constitucional de dizer o que pensa.

A verdade não tem, necessariamente, de dividir. Pode gerar divisão na hora de admitir alguém na igreja, mas não na hora de admitir alguém na sociedade. Pode significar não receber na comunhão da igreja alguém que professe fé em algo oposto ao cristianismo, mas pode significar receber alguém que professe fé em algo oposto ao cristianismo na relação solidária da sociedade civil. Igreja e sociedade civil seguem seus próprios credos e ambas exigem fidelidade a eles. Sem isso, não temos nem uma coisa nem outra. É da natureza da igreja, em razão de seu compromisso com a verdade do evangelho, não tolerar a relativização de seus principais artigos de fé. É da natureza do Estado, em razão de seu pluralismo, aceitar as diferenças. O que ambos deveriam evitar é a negação do amor em virtude da afirmação da verdade.

As guerras religiosas, na realidade, nunca tiveram como motivo apenas o apego à doutrina. Sua causa está na incapacidade de se permitir que pessoas pensem de modo diferente, no bloqueio emocional que impede que homens se aproximem procurando entender a razão de ser das diferenças teológicas. Assim, tentam deter o erro usando canhão em vez de diálogo. O desamor nos leva, em nome da verdade, a fazer aquilo que é contrário a ela mesma — pois a verdade nos ensina a amar.

▼ ▼ ▼

Participei de uma conferência cristã, nos Estados Unidos, em que havia centenas de pastores, quase todos envolvidos com o trabalho de plantação de igrejas. Não se falava de nada que não tivesse relação direta ou indireta com a vida eclesiástica. A importância de encontros como aquele não deve ser menosprezada. Além do encorajamento que recebemos pelo que é ensinado, o simples contato com tanta gente que sonha, pensa e luta pelas mesmas coisas reforça a noção de que está se fazendo algo absolutamente relevante. Isso, na realidade, é um fenômeno sociológico. Precisamos de uma estrutura social de plausibilidade para aquilo que cremos, como ressalta o sociólogo Peter Berger:

A realidade subjetiva depende sempre de estruturas específicas de plausibilidade, isto é, da base social específica e dos

TEOLOGIA DA RAZÃO | 135

processos sociais exigidos para a sua conservação. Só é possível a um indivíduo manter sua autoidentificação como pessoa de importância êm um meio que confirma esta identidade; uma pessoa só pode manter sua fé católica se conserva uma relação significativa com a comunidade católica, e assim por diante.[2]

Dessa necessidade de fazer parte de um grupo que reforce a plausibilidade do que cremos, nasce a dificuldade de pessoas se manterem fiéis ao que acreditam quando isoladas dos que partilham das mesmas convicções. Não quero dizer, naturalmente, que tal experiência é o que nos faz crer no que não creríamos de outra forma pela pura falta de objetividade racional do que dizemos ser verdadeiro. O que é evidente, contudo, é que essas interações humanas tornam mais plausível aos nossos olhos aquilo em que acreditamos, quer criando o contexto sociológico para a sedimentação da mentira, quer servindo de ambiente para o fortalecimento da verdade.

Nos últimos anos, participei muito pouco de encontros teológicos como aquele, por estar mais envolvido com reuniões voltadas para a defesa dos direitos humanos. A impressão, em ambos os ambientes, é a mesma. Parece que o tema de cada um dos tipos de eventos é o que há de mais importante na vida. Tanto o contato com cristãos em congressos de teologia quanto os encontros com defensores dos direitos humanos têm me levado a perceber a importância de não circunscrevermos nossos interesses, sejam quais forem, a nenhum movimento que nos faça crer ser detentor do monopólio da verdade e única expressão do que está sendo feito de relevante em favor da humanidade.

Jamais deveríamos abrir mão da relação com aqueles por meio de quem temos nossas convicções fortalecidas, renovadas e enriquecidas. Essa é a razão pela qual não há cristianismo sem a comunidade da fé. Poderíamos, contudo, ampliar nossa visão sobre o mundo e os seus problemas se mantivéssemos contato com gente diferente, que se encontra lutando por aquilo que pouco conhecemos.

No meu relacionamento com pessoas que vivem em mundos bastante distintos — seja por verem a vida de modo antagônico, seja por trabalharem em áreas diferentes —, venho percebendo alguns fatos. A mentalidade de grupo pode nos remeter para uma subcultura na qual nossos preconceitos e a estreiteza mental são aprofundados. Ampliar o escopo das nossas preocupações sociais e intelectuais pode tornar a vida mais bela e o serviço ao mundo mais efetivo. Há uma graça que age dentro da igreja e outra que opera, de modo surpreendentemente maravilhoso, do lado de fora dela. Deixar, entretanto, o convívio com a comunidade da fé pode nos privar dessa estrutura social de plausibilidade, que renova nosso amor por antigas verdades que jamais deveríamos deixar cair no esquecimento. A igreja, como comunidade, é central no cristianismo.

O evangelho é suficiente para a salvação do homem. Mas poderíamos tornar a missão da igreja no mundo mais bela e as respostas do evangelho aos problemas da humanidade menos ingênuas se diversificássemos um pouco mais nossas leituras e nossos relacionamentos. Transitar por esses dois mundos pode nos levar a ampliar a percepção do que é plausível, com resultados fascinantes.

Fé e razão

Não creio que a teoria da evolução seja incompatível com o cristianismo. Ela é incompatível com uma forma de se lidar com a hermenêutica bíblica literalista, mas não com a fé cristã. Podemos ser fiéis aos principais artigos de fé do cristianismo e crer no evolucionismo, pois a teoria da evolução não precisa ser ateia. Podemos crer num evolucionismo teísta, isto é, Deus exercendo perfeito controle sobre cada etapa da evolução.

O que torna o evolucionismo incompatível com o cristianismo é a negação da existência de um primeiro casal por meio de cuja vida o pecado entrou no coração de toda a sua descendência. A Bíblia ensina isso com clareza. John Stott fala da possibilidade de o *homo sapiens* ter dado ensejo ao *homo divinus*. A partir de um ponto desse processo de evolução, o homem passa a olhar para o alto e divisar um Criador santo a quem deveria cultuar, servir e amar.

Muita coisa ainda tem de ser dita sobre a teoria da evolução. Particularmente, sou agnóstico quanto às teses evolucionistas. A ciência muda. Já mudou muitas vezes. Cabe à Igreja exigir que aquilo que é apresentado como fato pela ciência seja provado mediante experimentação, coleta precisa de dados e raciocínio lógico. A igreja não deve se precipitar jamais quanto a suas declarações sobre ciência, pois houve época em que ela teve como objetivamente científico o que era mera opinião humana sem fundamento — é só ver o que a igreja fez com Galilei Galilei, ao abraçar o ponto de vista aristotélico sobre o sistema solar. Curioso é que a teoria de que a Terra é o centro do universo não é ensinada em nenhum texto das Sagradas Escrituras.

Essa mesma igreja, no entanto, deve fugir do erro oposto, que é o de não rever sua leitura do texto bíblico quando a luz da ciência torna claro que a igreja se equivocou em sua interpretação das Escrituras.

138 | TEOLOGIA DA TRINCHEIRA

A teologia pode avançar com as descobertas científicas. O cristão não precisa ter medo da verdade, onde quer que ela apareça. Toda verdade é verdade de Deus, possível de ser harmonizada ao imenso sistema de verdades que correlaciona todos os fatos da vida e da ciência num todo que exalta a glória da sabedoria do Criador.

▼ ▼ ▼

Fico feliz quando dizem que minha pregação é racional. Ficaria triste se ela fosse chamada de racionalista, pois o cristianismo é racional, mas não racionalista. A fé cristã pede que usemos o cérebro, e nos exorta a avaliar a veracidade da revelação, discriminar a doutrina, correlacioná-la com o todo e o todo com a doutrina, além de fazer as devidas aplicações práticas do conteúdo teológico. Não é expressão de humildade abdicar da razão.

O cristianismo não é racionalista. Ele não ensina que o verdadeiro é, em todos os casos, o compreensível. O verdadeiro pode estar além da razão. Racionalismo significa crer somente no que se pode compreender, aceitar apenas aquilo para o que há evidência empírica. É irracional crer somente no que se pode compreender, como também é irracional crer somente no que pode ser provado empiricamente. A própria razão não é capaz de provar nem uma coisa nem outra.

A fé cristã não se sujeita a nenhum sistema de pensamento, pois não cabe em nenhum deles, embora dialogue com todos. Fico feliz de ver pessoas se sentirem atraídas pelo cristianismo que nos põe para pensar. A aplicação da razão à fé produz um cristianismo sólido, preparado para responder a todo aquele que lhe pede o motivo da esperança. Com isso, o cristão vive com mais firmeza, e as pessoas tornam-se mais propensas a perceber a beleza do nosso sistema de pensamento.

Um dos problemas intelectuais que mais afligem cristãos que não querem abdicar da capacidade de pensar é a realidade do mal no universo. Um Deus de amor pode permitir o mal pelos mais diferentes motivos. Ele pode usar o mal para expressar sua justiça na vida de pecadores, por exemplo. O mal pode servir de meio para a obtenção de um grande bem — prova disso é a morte de Cristo, o supremo mal que nos trouxe o supremo bem.

Não sabermos qual é o sentido de um mal qualquer não significa necessariamente que não haja nele sentido algum. Esperemos pelo epílogo. A história avança, e seu autor está mais interessado do que você e eu num bom final. O nome dele está em jogo.

O que não pode é passar pela nossa cabeça que, no lugar de Deus, faríamos melhor. Tampouco que a preocupação com a justiça não é, ao mesmo tempo, reveladora da existência de alguém santo e justo, cujo caráter é a lei do universo e sem cuja existência a palavra "justiça" não faria sentido — afinal, jamais entenderíamos o seu significado se não tivéssemos como referência um padrão absoluto do que é justo, belo e bom.

▼ ▼ ▼

Como amar um ser que não vemos e como crer nele? Essa pergunta epistemológica deve ser vista sob dois ângulos bastante distintos.

Primeiro, o da completa incredulidade. É o questionamento do cético, que duvida: "Como pessoas podem se dedicar a uma tarefa tão irracional, menosprezando a única forma de se conhecer algo na vida, que é o uso dos sentidos? Elas dizem amar a quem não podem ver, ouvir e tocar!".

Segundo, o da indagação do coração que crê, mas que depara com o dilema de ter comunhão com um ser pessoal a quem não pode ver. Isso pode parecer frustrante para quem enxerga Deus como a única saída para seus conflitos existenciais e o objeto da convergência de todos os seus amores.

Ao empirista que só aceita como verdadeiro o que pode ser provado pelos sentidos, deve-se responder que essa proposição não pode ser provada dessa maneira, por ser puramente subjetiva. Afinal, em que laboratório foi provado que conhecimento verdadeiro é apenas o que nos chega pela via dos sentidos? Os nossos sentidos nos ajudam dentro das esferas que lhes são apropriadas. Fazer ciência respeitando o que vemos, ouvimos, tateamos, cheiramos e saboreamos é essencial. Fazer inferências a partir de experiências sensoriais é ótimo. Apesar de todo o ceticismo pós-moderno quanto aos próprios fundamentos da ciência moderna, a revolução científica e a industrial só puderam acontecer por causa da premissa de que os sentidos contam e nos servem de guia para a aquisição da verdade.

É fato, fora de controvérsia, que há verdades autoevidentes que não podem ser provadas mediante o cientificismo puro. Entre as verdades estabelecidas pelo uso da razão pura, temos a realidade dos valores morais, o conceito de beleza e a existência de um ser pessoal infinito, por cujo poder toda a complexidade da vida foi gerada. Viver sem acreditar nessas verdades é estar em constante contradição pessoal, uma vez que, por mais que as neguemos, não conseguimos viver como se não acreditássemos nelas.

A relação com o que podemos ver, ouvir, provar, cheirar e tocar pode ser mais complexa do que a relação com quem não conseguimos ver, ouvir, cheirar e tocar. Nossos sentidos nos enganam, e o que vemos muda constantemente. Já Deus é uma realidade infinita e imutável. Por ser santo, ele não mente, e é tudo o que diz ser. E, por ser imutável, não nos frustra jamais.

Eu não vejo, ouço, cheiro ou toco Deus; porém, ver, ouvir, cheirar e tocar só fazem sentido num universo em que um Criador confiável nos assegura que nossos sentidos não são uma completa ilusão. Aquilo que vejo, ouço e toco me impele para o que não vejo, não ouço e não toco, pois que realidade última está por trás de um mundo que não se explica, a não ser que o vejamos como efeito de uma causa eterna?

Continuo acreditando que o nada não cria nada. O criado envolve o que é percebido e o que percebe. Quem pode com integridade intelectual dizer que forças cegas foram capazes de criar seres que veem, ouvem, cheiram e tocam? Creio que é por isso que o apóstolo Paulo declara: "Porque os atributos invisíveis de Deus, assim o seu eterno poder, como também a sua própria divindade, claramente se reconhecem, desde o princípio do mundo, sendo percebidos por meio das coisas que foram criadas" (Rm 1.20).

O Deus invisível não promete aparições aos que o amam. Promete, sim, manifestações inequívocas de seu amor, realidade e beleza na vida daqueles que largaram a maldade de suas ações e entregaram a vida ao seu único Filho. Essa linha de ação está sintetizada naquilo que Jesus disse a um de seus discípulos: "Bem-aventurados os que não viram e creram" (Jo 20.29).

Deus *versus* acaso

Cai um avião. Dezenas de vidas humanas são interrompidas de modo súbito e aparentemente banal. Nessas horas, alguns pregadores cristãos tentam justificar Deus. Negam sua soberania sobre os fatos da vida, que parecem se mostrar irreconciliáveis com o conceito de um ser bom, onisciente e todo-poderoso. "Ele está tão chocado quanto você. É o preço de criar seres livres. Posso imaginá-lo chorando conosco", diz o pregador do Deus impotente.

Essa mensagem resolve? Acalma o coração de alguém? É congruente com o conceito expresso pela palavra "Deus"? É isso o que Cristo ensinou? Trata-se do método do cristianismo de trazer paz à alma?

Na história do pensamento cristão, os grandes luminares do passado, aqueles cujas obras resistiram ao desgaste dos séculos, jamais tomaram o caminho da negação de Deus para afirmar Deus. Nenhum deles chamou o homem para confiar, buscar consolo e adorar um superanjo. Um deus carente de conhecimento infinito e privado de controle sobre o que criou não é Deus. A palavra "Deus" pressupõe infinidade. Mais que isso: felicidade. Ele é bem-aventurança eterna em si mesmo, porque é o que gostaria de ser e faz tudo o que quer fazer.

O que é esse superanjo da teologia do deus impotente e, portanto, carente até mesmo da simpatia humana? Um grande incompetente e irresponsável. Não é onisciente. Não sabe nada de antemão. Mas é, no mínimo, bastante inteligente. Sabe o que representará, para seres que amam, viver num universo no qual o acaso cego determina o destino da história. O que significará a realidade do trágico do qual não se poderá sacar benefício algum.

Segundo essa linha de pensamento, José na cisterna é mero fruto da inveja dos irmãos; Deus não tem nada a ver com isso. E isso impediria José de pensar na possibilidade de um dia dizer algo como "para conservação da vida, Deus me enviou adiante de vós [...]. Assim não fostes vós que me enviastes para cá, e, sim Deus, que me pôs por pai de Faraó, e senhor de toda a sua casa, e como governador em toda a terra do Egito" (Gn 45.5,8).

A teologia clássica não me impede de derramar lágrimas quando o sofrimento atinge a minha vida e a de quem amo. Ela, contudo, me faz pensar na possibilidade de estar apenas dentro de uma cisterna, no meio de uma história estranha e dolorosa, mas que caminha para um capítulo final, no qual darei graças a Deus pelos seus insondáveis caminhos, sempre mais sábios e justos do que os meus.

▼ ▼ ▼

O teísmo aberto é a teologia da irresponsabilidade divina. Segundo esse pensamento, o futuro está aberto para Deus, tal como para o homem, e o Criador presencia — com surpresa — o desenrolar da História momento a momento. Acontece que ele continua sendo Deus em alguma extensão, embora bem diferente do Deus da teologia clássica, dos credos e das grandes confissões de fé protestantes, mas, pelo menos, mais poderoso do que o maior anjo existente.

O problema é que um ser superior ao maior anjo que exista haverá de saber que consequências trágicas podem ocorrer quando se cria um mundo de seres absolutamente livres, não sujeitos a uma vontade soberana. Pais podem enterrar filhos; guerras, eclodir; pestes, dizimar vidas

144 | TEOLOGIA DA TRINCHEIRA

humanas; filhos, ser gerados; pode a paz se estabelecer e a cura brotar por mero capricho do destino cego.

O homem, nessa teologia, fica tanto privado da esperança de encontrar sentido para a dor quanto privado da esperança de encontrar sentido para a sua própria felicidade. Ele se verá como sortudo ou azarado, que são conceitos pagãos. O homem só não poderá perguntar a Deus sobre o porquê do sofrimento ou louvá-lo pela sua salvação, pois, enquanto uma ou outra coisa acontecia, o seu deus estava no céu, sentando no trono, apenas torcendo como observador passivo para tudo dar certo.

Esse semideus é capaz de antever tudo o que é desgraça de que não se pode tirar nada de bom e, ao mesmo tempo, permitir que aconteça. Isso, porém, implica o suicídio da divindade, que abre mão de suas prerrogativas divinas para que homens encontrem sentido num universo desprovido de significado.

▼ ▼ ▼

Um dos fatos mais incompreensíveis da vida é o interesse por parte dos que negam a verdade, desprezam o conhecimento e debocham da busca pelo sentido da existência em tentar convencer as pessoas de que a realidade é absurda, o saber é uma ilusão e o que nos resta é o vácuo hostil de um universo que não derrama lágrimas pelo processo inexorável de decadência do nosso corpo. Alguns chegam a bradar com entusiasmo e estranha euforia que não há valores morais absolutos, uma vez que, se não há Deus, tudo é permitido.

Como entender a alegria, o júbilo e o prazer de esfregar na cara dos chamados "religiosos burgueses moralistas" que

TEOLOGIA DA RAZÃO | **145**

nosso início é impessoal e que caminhamos para o nada, num universo onde amor e justiça são pura reação química, resultado de uma evolução cega que serve apenas para gerar seres eternamente insatisfeitos com o tombo no *não ser*?

Os tais escrevem e debatem compulsivamente sem ter motivo racional que os mova. Debocham da desgraça da condição humana como se fossem meros observadores frios que, com olhos secos, veem com objetividade uma vida de horror. Falam sobre o belo e o justo como se o seu sistema de pensamento possibilitasse discerni-los e justificá-los. Usam a razão para negar a razão. Apregoam o relativismo moral enquanto justificam os valores absolutos das causas que defendem.

É difícil entender como não se calam a fim de, no humilde silêncio metafísico, procurarem entender se algum dia na vida levaram a sério a busca pela verdade e pelo sentido da existência.

▼ ▼ ▼

A realidade última é pessoal. Se procurarmos saber, pela sucessão de causa e efeito, o que está por trás do universo e sua forma, encontraremos um ser pessoal infinito. É isso o que o cristianismo ensina. E é maravilhoso esse conceito de universo proposto pelas Escrituras. Não estamos cercados apenas por massa e energia; há alguém a quem podemos atribuir toda a complexidade e a beleza da vida, com quem podemos nos comunicar, em cujo ser podemos fundamentar nossa esperança, em cuja formosura podemos fixar nossa atenção e nosso afeto, e para cuja glória podemos viver. Tire isso da vida, e o que resta é solidão e desamparo cósmicos insuportáveis.

146 | TEOLOGIA DA TRINCHEIRA

Nada é casual. Desde o início, tudo foi feito de acordo com um propósito inteligente e santo. Quem está por trás da vida é chamado de Deus. Gosto muito da síntese teológica que a Confissão de Fé de Westminster faz sobre o ser de Deus e os seus atributos. Para mim, verdadeiro poema. Leia em oração:

Há um só Deus vivo e verdadeiro, o qual é infinito em seu ser e perfeição. Ele é um espírito puríssimo, invisível, sem corpo, membros ou paixões; é imutável, imenso, eterno, incompreensível, onipotente, onisciente, santíssimo, completamente livre e absoluto, fazendo tudo para a sua própria glória e segundo o conselho da sua própria vontade, que é reta e imutável. É cheio de amor, é gracioso, misericordioso, longânimo, muito bondoso e verdadeiro remunerador dos que o buscam e, contudo, justíssimo e terrível em seus juízos, pois odeia todo o pecado; de modo algum terá por inocente o culpado.

Deus tem em si mesmo, e de si mesmo, toda a vida, glória, bondade e bem-aventurança. Ele é todo suficiente em si e para si, pois não precisa das criaturas que trouxe à existência, não deriva delas glória alguma, mas somente manifesta a sua glória nelas, por elas, para elas e sobre elas. Ele é a única origem de todo o ser; dele, por ele e para ele são todas as coisas e sobre elas tem ele soberano domínio para fazer com elas, para elas e sobre elas tudo quanto quiser. Todas as coisas estão patentes e manifestas diante dele; o seu saber é infinito, infalível e independente da criatura, de sorte que para ele nada é contingente ou incerto. Ele é santíssimo em todos os seus conselhos, em todas as suas obras e em todos os seus preceitos. Da parte dos anjos e dos homens e de qualquer outra criatura lhe são devidos todo o culto, todo o serviço e obediência, que ele há de, por bem, requerer deles".[3]

Este é o ponto central: uma vez que tenhamos pensado na existência de um ser tão glorioso como o descrito pelas Escrituras e pela Confissão de Fé de Westminster, o espírito humano não consegue mais se satisfazer com nada na vida. Diante de algo tão doce e monumental, poder ver a totalidade do mundo criado, com todos os planetas, estrelas e galáxias, seria apenas ter uma visão fantástica. Nada comparável a contemplar a beleza infinita de um ser pessoal para quem podemos dizer "eu te amo".

O homem

A condição do homem é trágica. Para onde quer que olhe, ele contempla o que pode destruí-lo. Os cristãos sempre levaram em consideração esse fato. Para eles, a vida de um incrédulo sempre foi e será um enigma. Os que creem nas promessas do evangelho não sabem como alguém pode viver sem uma esperança adequada, suficiente para atender às aspirações do espírito humano. Blaise Pascal escreveu:

> É preciso ter a alma muito elevada para compreender que não há satisfação verdadeira e sólida; que todos os nossos prazeres não passam de vaidade, que os nossos males são infinitos; que, finalmente, a morte que nos ameaça a cada instante deve colocar-nos infalivelmente, dentro de poucos anos, na terrível necessidade de sermos eternos, ou aniquilados, ou infelizes.[4]

Pascal, como poucos pensadores, descreveu o caráter ambíguo da condição humana: sua grandeza e sua miséria, que ironicamente, coincidem.

A grandeza do homem é grande na medida em que ele se conhece miserável. Uma árvore não se conhece miserável. É, pois,

148 | TEOLOGIA DA TRINCHEIRA

ser miserável conhecer-se miserável; mas, é ser grande conhecer que se é miserável. Todas essas misérias provam a sua grandeza. São misérias de grande senhor, misérias de um rei destronado [...] numa palavra, o homem conhece que é miserável. Ele é, pois, miserável, de vez que o é [...] o homem não passa de um caniço, o mais fraco da natureza, mas é um caniço pensante.[5]

Um caniço pensante! Um ser frágil e que sabe que é frágil. Como atender às demandas da alma de um ser racional e que se vê ao mesmo tempo exposto a tragédias das quais foge com horror? Como lidar com o receio de ter de enterrar os filhos em lugar de ser enterrado por eles, de ser abandonado pelo que ama, de se privar mediante a morte do convívio com alguém estimado, de perder a reputação, de ser objeto de uma escaramuça, de ser vitimado por um câncer, de sofrer um acidente grave, de presenciar a terceira guerra mundial ou de ver um asteroide se chocar contra o planeta e destruir grande parte da espécie humana? E isso sem ter ninguém do lado de fora para chorar. Será que as palavras que William Shakespeare põe nos lábios de um de seus personagens estão com a resposta final?

Apaga, vela!
A vida é só uma sombra: um mau ator
que grita e se debate pelo palco,
depois é esquecido; é uma história
que conta o idiota,
toda som e fúria,
sem querer dizer nada.[6]

A mensagem de Cristo, por sua vez, nos apresenta uma forma de o homem aprender a lidar com os seus temores. Ela não transmite um mandamento tão além do que o ser

TEOLOGIA DA RAZÃO | **149**

humano julga capaz de alcançar, sem, ao mesmo tempo, revelar a razão de ser do mandamento. Cristo nunca pede do homem o que o homem não pode dar. Deus não deixaria os seres humanos sem uma saída para as suas preocupações, muitas das quais suficientemente fortes para que qualquer pessoa fique aturdida. O Senhor Jesus declara, em meio aos ilimitados temores humanos:

> ... não andeis ansiosos pela vossa vida, quanto ao que haveis de comer ou beber; nem pelo vosso corpo quanto ao que haveis de vestir. Não é a vida mais do que o alimento, e o corpo mais do que as vestes? Observai as aves do céu: não semeiam, não colhem, nem ajuntam em celeiros; contudo, vosso Pai celeste as sustenta. Porventura, não valeis vós muito mais do que as aves?
>
> Mateus 6.25-26

Nessa passagem, Cristo trata de apresentar os motivos da razão iluminada pelo evangelho para crer. Sim, há duas formas de usarmos a mente: a natural e a iluminada. A fé cristã não tem nada a dizer àquele que rejeita o evangelho. O evangelho provê luz. Sem a luz do evangelho, a mente humana terá de funcionar inevitavelmente sob a influência das trevas dos condicionamentos mais diferentes impostos pelo pecado. Sem o evangelho, o homem natural pode até chegar à conclusão de que Deus existe. O que ele não conseguirá jamais será conceber um Deus confiável.

Espiritualidade e intelecto

Não há incompatibilidade entre o muito estudar e um profundo amor por Deus e por sua verdade. A dedicação à

150 | TEOLOGIA DA TRINCHEIRA

vida intelectual só nos é prejudicial se não atentarmos para certas ciladas.

Primeiro, estudar pouco. Julgarmos que nos tornamos especialistas em algum assunto, apesar de, na verdade, não o dominarmos satisfatoriamente. Podemos estar assumindo pontos de vista teológicos, filosóficos e históricos que já foram refutados anos antes por bons pensadores.

Segundo, deixar de experimentar a certeza de que a parte que conhecemos é infinitamente menor que aquela que desconhecemos. Há muito que ignoramos.

Terceiro, estudar por esnobismo intelectual, e não por paixão pela verdade e desejo de encontrar a Deus.

Quarto, mergulhar nos livros sem mergulhar na oração. Ler sem orar. Divorciar reflexão de piedade. Morrer de tanto estudar, e não orar para viver.

Quinto, andar com as mesmas pessoas, ler as mesmas obras, manter-se no mesmo círculo intelectual, não ouvir os diferentes, achar que seus amigos estão certos pelo fato de crerem nas mesmas certezas e experimentarem os mesmos sentimentos negativos com relação a outros pensamentos. Todos podem estar simultaneamente alimentando a doença de todos.

Sexto, deixar de aplicar certos testes ao sistema teológico adotado. Se determinada teologia não exalta a Deus, não rebaixa o homem e não produz fruto de transformação de vida, por exemplo, pode ter certeza que sua procedência é maligna.

O problema não está num cristianismo onde haja muita mente; o problema está num cristianismo onde há pouca mente. O problema não está na investigação teológica; o problema está na procura de conhecimento em detrimento da busca pela face de Deus.

▼ ▼ ▼

Muitas vezes, ao final de uma pregação, desço do púlpito com a impressão de que me excedi demais no tom de voz e na maneira de apresentar a mensagem. Há momentos em que penso que muitos me acham neurótico em razão de algumas das minhas ênfases. Enfatizo muito nas minhas mensagens o caráter incerto, árduo e fugaz da vida. Regularmente, insisto na perdição metafísica e moral do homem sem Cristo. Não deixo de mencionar que a nossa condição é trágica, e que palavras como "felicidade", "alegria" e "paz" só fazem sentido no cristianismo. Esses conceitos são expectativas irracionais e irrealizáveis sem a esperança do evangelho. Sem as promessas cristãs, é completa perda de tempo falar sobre eles.

O que deve deixar atônitas as pessoas que se preocupam com a minha saúde mental é me ouvirem dizer que prego sobre toda essa sorte de fatos trágicos para levar as pessoas ao desespero. Admito: quem não crer no evangelho após me ouvir vai viver pior. O que posso fazer? São fatos. O Espírito Santo é o Espírito da verdade. Onde quer que sua luz brilhe, seres humanos depararão com as grandes verdades da vida. O cristianismo visa a colocar nossos pés no chão.

A fé cristã não funciona na vida de quem ignora seu diagnóstico sobre a infelicidade humana. Não tenho a mínima intenção de fazer, como certos pensadores existencialistas fazem, que pessoas sintam-se tão somente chocadas com fatos sobre os quais geralmente não pensam. Caso não tivesse resposta nenhuma para oferecer, eu ficaria calado, uma vez que não há sentido em dizer às pessoas que a vida não tem sentido.

Prego desse modo porque sonho com uma geração que ame o evangelho com base na compreensão do que ele representa para a vida humana. Em nenhum outro lugar

152 | TEOLOGIA DA TRINCHEIRA

encontramos boa notícia. Transmito informações que satisfaçam a mente de quem, justamente por usar o cérebro, sabe que não há prazer na vida que possa livrar o ser humano do desespero existencial sem uma referência infinita, pessoal e graciosa.

Peço graça a Deus para saber comunicar essas verdades com educação, originalidade e clareza. Rogo que o Espírito Santo me preserve de todo comportamento no púlpito que possa fazer que pessoas não me ouçam em razão de uma forma deseducada ou caricata de pregar. Porém, oro para que ele nunca permita que eu deixe de pregar a sua Palavra, por mais ofensiva que ela pareça ser, pois não há outra maneira de libertar o homem que não seja pela proclamação da verdade. E a verdade do evangelho revela a extensão da desgraça do homem e a infinidade do amor de Deus, revelado em Cristo.

▼ ▼ ▼

Não tenho nada contra a teologia. Mas me oponho a conhecer teologia e não conhecer a Deus. Que tristeza é um pregador permitir que seu comportamento destrua todos os seus esforços no púlpito! Ouvintes serem levados a crer que o pregador não crê.

Como um homem pode ir longe na aquisição de conhecimento teológico, enquanto permanece num inadmissível estado de superficialidade espiritual e frivolidade comportamental? Tomás de Kempis escreveu: "Que te aproveita discorrer sabiamente sobre a Trindade se, por falta de humildade, lhe desagradas? De certo não são as palavras sublimes que tornam o homem santo e justo; mas uma vida virtuosa o faz agradável a Deus. É preferível experimentar a compunção a saber defini-la".[7]

Milhares perecem sob púlpitos ortodoxos que carecem de autoridade e graça. Muitas são as igrejas que se tornaram duas vezes mais endurecidas para a pregação do verdadeiro evangelho por serem conduzidas por homens que banalizam o sagrado.

Cristianismo supraideológico

Tenho lido sobre marxismo. É tão intelectualmente desonesto defendermos uma ideologia que não conhecemos como atacarmos uma ideologia que nunca examinamos. Estudar é fundamental. Livro na mão e pé na lama da favela produzem os melhores intelectuais e a melhor teologia!

Palestrei em um congresso da Juventude Batista Brasileira, realizado em Campo Grande (MS), em 2015. Ao término da mensagem, um grupo de jovens me procurou e conversamos longamente. Gostei demais deles. Todos demonstravam inquietação, pois se sentiam criticados pelos que os consideravam marxistas em razão de defenderem certas ideias que, em seu modo de ver, representam apenas o que o cristianismo proclama.

Eles me pareceram lidar com uma pergunta importante, que precisa ser respondida: em quanto do marxismo uma pessoa precisa acreditar para ser considerada marxista? Lembro-me de um comentário feito pelo então arcebispo emérito de Olinda e Recife, dom Hélder Câmara: "Quando dou comida ao pobre, dizem que sou santo; quando pergunto por que algumas pessoas são pobres, dizem que sou comunista".

Também podemos praticar outro tipo de injustiça, que é considerar necessariamente inimigo do pobre quem rejeita o marxismo. Há muitos que almejam a economia de mercado, com todo o seu estímulo à produção de riqueza e competição criativa, regulada pelos ideais de justiça do cristianismo. Eles não creem na revolução do proletariado, não estimulam a luta de classes e, contudo, rejeitam a exploração do pobre, o lucro como a medida de todas as coisas e a ganância que esgota os recursos naturais do planeta.

Como o cristianismo não cabe nem nas ideologias de direita, nem nas de esquerda, gostaria de dizer aos que se sentem injustiçados, vítimas dos ataques mais ácidos de ambos os lados, que não ser compreendido é da natureza da verdadeira sujeição a Cristo. Faz parte da vida cristã ser objeto de contradição. No dia em que o mundo nos compreender, há muito teremos deixado de viver como discípulos de Cristo.

O importante é você não se permitir ser mais de direita ou de esquerda que cristão. O fundamental é que seja encontrado do lado do pobre, perto de quem o Senhor Jesus sempre esteve. E jamais deixe de protestar, porque você dificilmente será levado a sério se a defesa mais veemente das suas ideias não vier acompanhada da prática concreta da justiça e da misericórdia.

A ideologia sem obras é morta.

▼ ▼ ▼

No Brasil, encontramos uma definição curiosa do marxismo. Aos olhos de muitos, cobrar que a classe média se envolva com a favela, combater a desigualdade social e exigir políticas públicas para as comunidades pobres é ser marxista. Mas isso é o cristianismo puro, em sua expressão mais basilar. Significa, além disso, lutar por direitos sociais consagrados pela Constituição federal do Brasil.

Não sou marxista. Repito: não sou marxista. Sou cristão. Não posso professar fé em Cristo e ao mesmo tempo crer numa religião secular.

Tampouco posso professar fé em Cristo e resumir a ética a sexo, tabaco e álcool, ignorando aqueles cuja miséria constitui censura moral à indiferença de quem tem o mínimo de esclarecimento sobre as reais causas do estado de privação de bilhões de seres humanos.

5

Teologia da *polis*

Se uma sociedade justa requer um forte sentimento de comunidade, ela precisa encontrar uma forma de incutir nos cidadãos uma preocupação com o todo, uma dedicação ao bem comum. Ela não pode ser indiferente às atitudes e disposições, aos hábitos de coração, que os cidadãos levam para a vida pública, mas precisa encontrar meios de se afastar das noções de boa vida puramente egoístas e cultivar a virtude cívica [...] uma política do bem comum teria como um de seus principais objetivos a reconstrução da infraestrutura da vida cívica. Em vez de se voltar para a redistribuição de renda no intuito de ampliar o acesso ao consumo privado, ela cobraria impostos aos mais ricos para reconstruir as instituições e os serviços públicos, para que ricos e pobres pudessem usufruir deles.[1]

MICHAEL J. SANDEL

Somos seres políticos. Nascemos para viver na *polis*, vivemos na *polis*, somos sócios da *polis*. A vida é inimaginável fora da *polis*. Nela, encontro quem corta meu cabelo, cuida dos meus rins, me alfabetiza, fabrica meus óculos, protege meu patrimônio, enriquece meu saber, faz a

158 | TEOLOGIA DA TRINCHEIRA

comida chegar à minha mesa, supre minha falta de talento. Nela, também cuido, protejo e ensino, encontrando imenso significado na vida mediante o exercício das minhas aptidões profissionais e do exercício da cidadania. Nascemos na *polis*. Estamos nela e ela está dentro de nós. Sem que tivéssemos direito de escolha, nos tornamos membros dessa sociedade e, portanto, responsáveis pelo que acontece e deixa de acontecer nela.

Nesse sentido, todos os dias, deveríamos pedir perdão a Deus pelo fato de sermos brasileiros. Prisões estão superlotadas, crianças dormem em salas de aula calorentas, carros capotam em estradas esburacadas, dinheiro público é usado no que não é prioritário, trabalhadores são explorados, idosos aguardam atendimento em filas gigantescas de hospitais caindo aos pedaços. E isso tudo acontece porque nós deixamos.

O amor político é uma das mais belas e eficazes expressões de amor. Ele faz o que a filantropia não consegue fazer e leva o bom proprietário de escravos a lutar pelo fim do regime de escravidão. Suas realizações, portanto, são imensas e mudam o destino de milhões para sempre.

Este capítulo é dedicado a essa manifestação do verdadeiro amor cristão, que nos leva a não apenas dar o pão e perguntar o motivo de as pessoas não o terem, mas a lutar para que os seres humanos não vivam na dependência da redistribuição de renda que se faz necessária quando a fome não pode mais esperar pelas reformas estruturais. Também é dedicado ao chamado para nos arrependermos de um dos lapsos mais graves do nosso conceito de ética cristã: a incapacidade de vermos a luta por direitos como expressão basilar do compromisso com o cristianismo.

Perspectiva política

Eu amo política. Trata-se de uma paixão recente, admito. E, embora apaixonado pelo tema, continuo tendo um ponto de vista parcialmente pessimista sobre o que ela pode fazer pelo homem.

Primeiro, porque temo que, se todos os problemas sociais forem resolvidos, nos apercebamos do fato de que a vida humana é uma paixão inútil, uma vez que a nossa vida é uma piada trágica num contexto de total absurdo cósmico. Uma grande tragédia, sem ter ninguém no universo para lamentar a desventura dessa raça de vida curta, incerta, sofrida e mesquinha. Sem o evangelho, esse seria o meu veredicto referente à vida. Pois uma nação que se torne rica, mas distante da esperança cristã, pode perfeitamente mergulhar em um oceano de desespero, vivendo a indagar: qual o sentido da nossa luta?

Segundo, porque a meta da política — organizar a vida em sociedade — mais pode ser comparada à tentativa de se administrar um hospício. Somos uns loucos. Tudo o que podemos conceber em termos de esperança para as ações políticas é sonhar com o possível, mas não com o que é essencialmente belo do ponto de vista das relações humanas.

Por que amo política? Porque, muito embora ela não seja capaz de produzir o melhor dos mundos, propicia um mundo melhor do que aquele que teríamos caso olhássemos para tudo com absoluta desesperança. Sou eternamente grato pelo legado deixado por quem lutou por governos republicanos, democráticos, baseados no primado da lei. Bons governos podem possibilitar que tenhamos tempo para encontrar os amigos, ler bons livros e meditar sobre o propósito da existência.

Política é a pura expressão da natureza humana. Somos visceralmente políticos. É inconcebível a vida fora do âmbito do convívio social. Tornar as relações humanas mais racionais é arte que atende às mais nobres aspirações humanas. Quem se dedica com espírito público à política — arte de organizar a vida na *polis* — exerce ofício dos mais importantes que se possa conceber.

Minha ideologia é a cristã. Logo, não posso fechar com o marxismo, o neoliberalismo, a anarquia ou o autoritarismo. Entendo que o Estado ideal seria um Estado democrático de direito marcado por um capitalismo humanizado por algumas das críticas marxistas. Aberto para reconhecer o trabalho duro e honesto, mas capaz de socorrer o que ficou para trás e oferecer igualdade de oportunidade aos seus cidadãos. Estaríamos, portanto, organizados politicamente de modo que todos sejam iguais perante a lei, bem como iguais perante a economia de mercado. Um Estado não onipresente, do menor tamanho possível, mas grande o suficiente para poder atuar na defesa dos direitos sociais, civis e políticos de seus cidadãos.

Pelo que ansiar? Por liberdade, economia de mercado, agências reguladoras, educação e assistência médica para todos. Seria uma sociedade de iniciativa privada incentivada, mas sem desaguar num modelo econômico que explora a mão de obra do trabalhador.

Precisamos lembrar que poderíamos estar vivendo num mundo de governos absolutistas. Se chegamos à democracia, é porque homens e mulheres deram a vida por seus ideais. A questão que se impõe é: o que estamos fazendo para que a próxima geração herde um mundo mais justo, humano e fraterno?

▼ ▼ ▼

O aspecto mais difícil das reformas de que o Brasil precisa para aperfeiçoar sua democracia e aumentar o nível de justiça social passa despercebido pela maioria. Não o notamos porque ele faz parte de nossa vida. Afeta tanto o mundo político quanto a forma como você e eu vivemos. Permeia tudo. É o *improviso*.

Nossas ações são marcadas pelo improviso. Desperdiçamos um mundo de oportunidades históricas e de recursos humanos e naturais porque nos recusamos a nos antecipar aos fatos mediante avaliação racional, coleta de dados, estabelecimento de metas mensuráveis, planejamento, cronograma, avaliação constante e sistema de prestação de contas. Conseguimos manchar a beleza natural da nossa terra com cidades, sob todos os aspectos, horrorosas. Nossas ruas são feias. Somos um povo fadado a conviver com o sujo, o feio e o disfuncional.

A presença da Fifa no Brasil, por ocasião da Copa do Mundo de Futebol de 2014, produziu um choque cultural. Sem querer fazer o papel de defensor de seus métodos e da forma como impôs o que quis, reconheço que muito do que a entidade exigiu foi razoável. Ela queria segurança, beleza e eficiência nos estádios de futebol. Daí, o "padrão Fifa".

Para termos políticas e serviços públicos de nível elevado, precisamos mudar nossa mentalidade. A começar por cobrar do poder executivo metas, planejamento, cronograma, transparência e prestação de contas. Como brasileiros, contentamo-nos com promessas, o que significa não apenas sermos ludibriados pela autoridade pública, que promete o que não tenciona fazer, mas, também, ver recursos públicos serem devorados por uma cultura presente na mente de todos nós.

162 | TEOLOGIA DA TRINCHEIRA

Por isso, todos devemos fazer, sempre, cinco importantes perguntas para cada promessa feita pela classe governante: Quando? Quem? Quanto? Onde? Como?

Violência e criminalidade

"Aconteceu em questão de segundos. Ele estava no sofá comigo, mas saiu e sentou-se à porta. Ouvi um estrondo e, quando olhei, parte do crânio do meu filho estava na sala e ele, caído lá embaixo... morto". Essa declaração até hoje não sai da minha memória. São palavras de Terezinha Maria de Jesus, mãe do menino Eduardo de Jesus Ferreira, de 10 anos, vítima de bala perdida no Complexo do Alemão, Zona Norte do Rio de Janeiro. O que significará para ela viver até a morte com essa lembrança?

O que há em comum nas mortes que ocorrem na favela? *Pobre está matando pobre.* É isso o que acontece quando traficante mata outro traficante, traficante mata policial, policial mata traficante, traficante ou policial matam um morador da comunidade.

Não estou dizendo que seja da natureza do pobre matar. A maioria trabalha duro. Tampouco estou declarando que o pobre seja o problema, nem eliminando a responsabilidade pessoal. Na verdade, estou a afirmá-la. Falo sobre o que desperta no homem o que não se manifestaria se não fosse provocado. Algoz e vítima se confundem nessa história. O injustificável — a prática criminosa —, não é o sem causa.

O problema central é quem está acima do pobre: o Estado, que joga brasileiro contra brasileiro. Quem é responsável pela não implementação de políticas públicas nas favelas do Rio de Janeiro; pelo saque aos cofres públicos, que impede o investimento do dinheiro dos impostos nas

TEOLOGIA DA *POLIS* | **163**

comunidades pobres do Brasil; pelo sistema prisional brasileiro funcionar como universidade do crime; pela lentidão e ineficácia do sistema de justiça criminal; pelo baixíssimo índice de elucidação de autoria de homicídio doloso no país; pelo desencanto das crianças com a escola pública; pelo envio do policial a comunidades nas quais reina a miséria, a fim de que ele, sozinho, preserve a ordem pública; pelo baixo salário dos policiais; pela falta de punição dos crimes de abuso de poder cometidos por policiais; por termos a sétima economia do mundo e ao mesmo tempo sermos o 74º país em Índice de Desenvolvimento Humano?

Deveríamos ter vergonha de tudo isso. O Estado é corrupto e incompetente. A classe média brasileira assiste passivamente ao massacre de centenas de milhares de brasileiros assassinados, 80% dos quais moradores de comunidades pobres. Milhões de cidadãos brasileiros esclarecidos ainda não aprenderam o significado de dar voz aos sem voz e visibilidade aos invisíveis. Muitos gritam e não são ouvidos, o que nos faz ignorar sua existência. São pessoas que, enquanto enterram seus filhos assassinados, limpam nossas casas, varrem nossas ruas, passam nossa roupa. Coadjuvantes da vida que você e eu vivemos.

No livro *O mal ronda a terra*, o historiador britânico Tony Judt faz declaração que deveria ser ouvida por todos os brasileiros, se é que queremos dar fim à cultura da banalização do mal em nosso país.

> Sobram evidências de que até as pessoas abastadas de uma sociedade desigual seriam mais felizes se a distância que as separa da maioria de seus concidadãos fosse significativamente reduzida. Sem dúvida elas se sentiriam mais seguras. Mas as vantagens vão além do interesse pessoal: viver muito

perto de pessoas cuja condição constitui uma censura ética manifesta é fonte de desconforto até para os ricos. O egoísmo é desconfortável até para os egoístas.[2]

Acima do pobre enlutado e da classe média perplexa e omissa está um modelo de sociedade. Uma forma de atuação das instituições democráticas. Um sistema. Uma cultura política. Uma sociedade desigual, na qual os desiguais vivem lado a lado, com um Estado fraco.

E, lá na ponta, Eduardo, policiais e garotos pobres estão morrendo.

▼ ▼ ▼

Ouvi certa vez um traficante confessar, com franqueza incomum, as reais motivações de seu envolvimento com o crime. Ele não tentou atribuir à vida, à família ou a qualquer causa externa a responsabilidade por seus atos. Escutei a confissão franca daquele chefe de facção numa das carceragens da Polícia Civil do Rio de Janeiro. Eu lhe havia indagado sobre o real motivo do seu envolvimento com o crime, ao que ele me respondeu: "Olha, vou ser franco com você. Eu tenho no tráfico de drogas tudo de que gosto. Eu gosto de sexo, e essa vida dá muita mulher. Gosto de dinheiro e ganho grana suficiente para comprar o que quero. E tem o lado do poder; eu gosto do poder. E, quanto mais poder se tem, mais poder se quer ter".

A criminalidade no Brasil faz parte de uma guerra por sexo, dinheiro e poder. Se seguirmos a cadeia de causa e efeito, a fim de encontrarmos tanto a causa dos milhares de homicídios quanto a razão do envolvimento de jovens com o crime, encontraremos seres humanos com uma demanda incomensurável na área da autoestima. São pessoas ansiosas por se sentirem valiosas aos próprios olhos. É o rapaz que sabe que, se trabalhar como *motoboy*, não será procurado pelas mulheres como o gerente da boca de fumo é procurado; que associa valor pessoal ao uso de certa indumentária; e que, com uma pistola na mão, faz de súditos centenas de seres humanos, além de determinar o tempo de vida daqueles que cruzam o seu caminho.

As interpretações do drama social da violência, condicionadas por compromissos ideológicos, têm nos distanciado da verdade dos fatos. Percebe-se com clareza uma divisão entre duas mentalidades opostas: a que põe toda a responsabilidade do problema no contexto político-econômico-social e a que enfatiza a responsabilidade humana. Uma chama o traficante de vítima do sistema. A outra o considera um facínora. A primeira propõe o combate ao modelo capitalista como solução. A segunda, estimula a construção de cadeias.

Jamais encontraremos saída para o problema do tráfico de drogas enquanto não enfatizarmos tanto o papel corruptor do meio social quanto a responsabilidade do homem pelos seus atos.

O modelo de sociedade em que vivemos propõe valores que fazem o indivíduo ansiar por uma vida irrealizável neste mundo. Isso é agravado por uma sociedade que estimula um modo de vida consumista e hedonista, mas, ao mesmo tempo, não oferece condições mínimas para que milhões de brasileiros sintam-se inseridos numa forma de viver que valha a pena.

Por outro lado, não pode ser negado o fato de que o homem é responsável por seus atos. Podemos falar sobre o conceito de responsabilidade diminuída, mas jamais sobre o conceito de responsabilidade eliminada, sob pena de subvertermos por completo a ordem social. Pergunte para qualquer traficante o que ele faria com alguém que cometesse um crime contra um parente e usasse como justificativa a falta de oportunidade na vida. Jamais encontrei um que me respondesse que inocentaria tal pessoa. A resposta está dentro de cada um de nós.

O Estado brasileiro cria, com sua incompetência, indiferença e omissão, as condições de vida que tornam certa a expressão do que é latente no coração de milhares de jovens brasileiros: a busca por sexo, dinheiro e poder mediante ação criminosa. A procura por esses três elementos por meio da violência é um fenômeno encontrado não apenas entre jovens de comunidades pobres. Essa é, também, a busca do policial impiedoso que vive do arrego do tráfico e executa o bandido; do político canalha que usa a polícia politicamente; e do empresário inescrupuloso que contrata matadores profissionais para proteger o seu negócio. Nesse ponto todos se parecem, uma vez que procuram o mesmo, porém por meios diferentes.

É claro que a maioria não admitirá essa realidade. Todos têm uma justificativa para seu envolvimento com a barbárie. O traficante vai dizer que não teve oportunidade na vida e que deseja ajudar a mãe; o policial dirá que a solução da guerra está na bala; o político afirmará que, se não o fizer, outro fará em seu lugar; e o empresário usará como justificativa os empregos que não seriam gerados se ele se comportasse como um frade. Por essas justificativas, ninguém é culpado. Eles matam, deixam matar e mandam matar, mas todos se julgam inocentes. E há quem os justifique, obviamente, de modo bastante seletivo. Justifica um e, arbitrariamente, condena outro.

TEOLOGIA DA *POLIS* | **167**

Jamais encontraremos solução para o problema da criminalidade se não lutarmos por igualdade de oportunidade para todos, educação e a aplicação rápida da sanção penal.

Igualdade de oportunidade para todos. As desigualdades sociais ajudam a aflorar a paixão e o egoísmo humanos. O que poderia ser contido, como a propensão a matar, vem à tona por causa das condições de vida que servem como parteiras da maldade.

Educação. Nossa sociedade precisa de novos valores, sonhos e referências. Não apenas ensino técnico e consequente possibilidade de inserção no mercado de trabalho, mas formação de uma consciência cidadã, restabelecimento da noção de certo e errado neste mundo relativista pós-moderno e ensino da sabedoria.

Aplicação rápida da sanção penal. Sendo quem somos, nenhuma sociedade sobrevive sem o elemento da coerção. Sempre encontraremos seres humanos que não darão a mínima para os apelos da razão e da consciência, por melhores que sejam suas condições de vida.

No Brasil, historicamente, sempre combatemos violência com violência. Nossa história é recheada de genocídios, desigualdade e abuso de poder. É estranho, vivendo num país como este, falar mais sobre punição do que sobre inclusão.

Não quero viver num país que exponha a vida de pessoas inocentes aos motivos torpes de criminosos contumazes, mas também não quero viver num país cuja consciência esteja tão endurecida a ponto de se esquecer dos seus milhões de miseráveis.

Continuaremos a propor medidas incapazes de estancar o fluxo da maldade enquanto formos injustos a ponto de

168 | TEOLOGIA DA TRINCHEIRA

não considerarmos o fracasso do nosso modelo de sociedade e quanto ele colabora para o avanço da criminalidade; nossas propostas permanecerão inócuas em relação ao mal, enquanto formos românticos a ponto de não considerar o que é a natureza humana. Não temos outra opção.

Mas, se eu pudesse falar sobre o que creio e não posso obrigar que todos creiam, falaria sobre o evangelho de Cristo e sua promessa de libertação do mal para todo que vier a crer. Com Cristo, temos os motivos mais profundos e excelsos para lutar pela nossa felicidade sem passar por cima do direito do próximo. Não falo de preservação da espécie, nem de manutenção da ordem social, mas de ver o homem como quem foi criado à imagem e semelhança de Deus e tratá-lo com amor — certo de que esse tipo de vida agrada ao justo Criador, que conhece o coração de todos os seres humanos.

▼ ▼ ▼

Certo senador maranhense criticou, em 2014, a atuação da Comissão de Direitos Humanos do Senado, que foi a São Luís (MA) a fim de averiguar a situação do Complexo Penitenciário de Pedrinhas, cujo abandono por parte do poder público deu ensejo a crimes que, dada a brutalidade, causaram perplexidade no Brasil e em muitas partes do mundo. O parlamentar declarou: "A prioridade absoluta da comissão tem de ser prioritariamente (*sic*) das vítimas, e, no final da fila, os presidiários. Na hora em que se faz uma visita para defender direitos humanos, priorizar os detentos é um equívoco".[3] Esse é um comentário sintomático.

A espécie humana levou séculos para compreender que a melhor forma de organização social é o Estado democrático de direito. Descobrimos, entre outras coisas, que

TEOLOGIA DA *POLIS* | **169**

o poder tem de ser regulado. Nenhuma autoridade pública pode atuar ao arrepio da lei, pois o ser humano tem a tendência de usar o poder em seu favor e contra seus adversários. O poder de prender exige esse controle, porque ter autoridade para privar uma pessoa de sua liberdade é demais para a natureza humana. Somos propensos à vingança. Por essa razão, os membros da Assembleia Nacional Constituinte decidiram que nossa Constituição federal asseguraria aos presos o respeito à sua integridade física e moral.

Trabalho em favelas e conheço de perto a realidade das prisões brasileiras. Lido com pobres e bandidos, para quem somos todos mentirosos. Faltam argumentos para convencer um bandido que deseja recomeçar a vida, a quem estou tentando tirar do tráfico, e que se vira para mim e assevera: "Se eu me entregar, como o senhor está me pedindo, eu morro". O que falar para meninos e meninas que veem seus pais sendo massacrados e mortos no sistema prisional? O que dizer para mães e esposas? O que falar sobre os "buchas" (aqueles que levam a culpa) e suas famílias? Nós os conhecemos? Estamos absolutamente certos de que todos os que estão presos mereciam estar dentro das masmorras medievais que são nossas prisões? Conheci muita gente que, apesar de presa, não cometeu crime algum. Tantos outros foram detidos por motivos insignificantes, que não se comparam aos crimes cometidos por políticos e empreiteiros brasileiros. Quando procuro conversar sobre Estado, lei, justiça, democracia e integração social com muitos dos que têm ou tiveram envolvimento com o tráfico, eles riem de mim. Preciso que o poder público brasileiro me dê subsídios para dialogar com essa gente. Não posso falar em nome de bandido para bandido.

É impossível manter seres humanos dentro de muros de opressão sem que isso vaze e atinja quem está do lado de fora. A história geral está repleta de exemplos dessa natureza. Não podemos insinuar que cuidar do direito do preso não é cuidar do direito do policial e de crianças como Ana Clara Sousa, de 6 anos, que morreu queimada dentro de um ônibus em São Luís, em 2014, na onda de ataques que começou após a operação realizada pela Tropa de Choque da Polícia Militar no Complexo de Pedrinhas. O governo do estado do Maranhão é parteiro de desgraças como essa, pois tornou patente o que estava latente e que não se manifestaria da forma que se manifestou se não fosse provocado. Há pessoas presas em outras partes do mundo que não mandam atear fogo em crianças. O injustificável não foi o sem causa de natureza política e social.

Lutar pelo direito dos parentes das vítimas e dos policiais é oferecer igualdade de oportunidade de vida para todos, prevenir com inteligência em vez de reprimir com estupidez, pagar salários dignos para quem arrisca a vida ao lutar pela segurança de todos. Devemos continuar lutando nas ruas e nas redes sociais por governos que entendam que, se a lei não é para todos, não há democracia, e que o exemplo tem de partir do que governa. O Estado precisa compreender que, se há violação histórica e sistemática dos direitos humanos de alguns, haverá sempre insegurança para todos.

Qualidade de vida do cidadão

O nosso dia está dividido em manhã, tarde e noite. Uma das minhas grandes questões político-econômicas tem a ver com o espaço que reservamos para o trabalho nessa divisão tripartite do dia. Por que temos de ocupar dois terços desse tempo com nossas atividades profissionais? Há fundamento moral, metafísico ou sociológico para insistirmos nas

TEOLOGIA DA *POLIS* | **171**

oito, dez, doze e até quatorze horas diárias de trabalho? Por que não temos leis que proíbam a obrigatoriedade de tamanha dedicação de tempo às nossas profissões?

Pode ser que você tenha fascínio pelo que faz e não se dedique a tarefas repetitivas, enfadonhas, insalubres e que não exigem absolutamente nada da sua criatividade. Se você ama o seu emprego, excelente! — sinta-se livre para dedicar a quantidade de tempo que quiser para o que faz com tanto prazer. A pergunta é: seria de fato justo e bom prescrevermos essa obrigação para todos?

A meu ver, o modelo de uso do tempo deveria ser diferente, dividido em três partes, que representam três dedicações diferentes a aspectos fundamentais da nossa existência: a primeira, dedicaríamos ao trabalho, que seria feito com o máximo de nosso entusiasmo e energia. A segunda, à prática de um *hobby*, à leitura de bons livros, ao contato com a natureza, ao investimento em nosso desenvolvimento como pessoa, à oração, à meditação, ao envolvimento com as causas públicas. E a terceira, aos relacionamentos. Não me interessa política que não me permita sentar à mesa para comer e conversar com pessoas que amo.

Por que vivemos em modelos de sociedade que nos roubam a melhor parte da vida? A quem interessa essa forma de viver? Quem lucra com essa escravidão velada?

▼ ▼ ▼

Conversei nos últimos anos com incontável número de trabalhadores brasileiros. Após todo esse diálogo, fui forçado a sonhar com alguns decretos.

Decretamos que todo trabalhador terá tempo para o sexo, o amor, os livros, a boa conversa, a prática de um passatempo, o contato com a natureza, a busca pelo sentido de sua existência, a comunhão com Deus.

Decretamos que todo trabalhador terá tempo para se desenvolver como pessoa, adquirindo novos saberes e habilidades.

Decretamos que o trabalhador terá dois dias de folga por semana.

Decretamos que o trabalhador não vai trabalhar o dia inteiro.

Decretamos que o trabalhador não chegará exausto ao local de trabalho por causa da precariedade dos meios de transporte.

Decretamos que o trabalhador não terá medo de adoecer e ver a si e a sua família privados dos meios de subsistência e de uma vida digna, uma vez que o Estado não o deixará desamparado.

Decretamos que o trabalhador não ficará exposto à misericórdia incerta da sociedade.

A economia brasileira é sustentada pela mão de obra, sob certa perspectiva, escrava. Milhares trabalham seis vezes por semana, oito a dez horas por dia, sem assistência médica e com transporte descontado do salário para receber no final do mês um salário insuficiente. Esses seres humanos não têm descanso. Trabalham para comer e comem para trabalhar. Seus dias são sempre iguais. Milhares dedicam-se a tarefas repetitivas e enfadonhas. São invisíveis sociais, coadjuvantes da verdadeira vida que você e eu, que os ignoramos, vivemos.

Manifestações e cobrança das autoridades

Milhões de brasileiros vivem como meros espectadores das decisões tomadas pela classe governante do país.

Democracia, na prática, só é vivida pelos que detêm o poder político. Eles decidem e, na maioria das vezes, sem o mínimo espírito republicano, sem transparência, competência nem prestação de contas. Por isso, amargamos um Índice de Desenvolvimento Humano inacreditável no Brasil. Vivemos mal. Basta andar pelas ruas para ver. Quem conhece a favela, as comunidades ribeirinhas e o sertão enlouquece.

Precisamos fazer da cobrança um hábito. Quando começamos o Rio de Paz, em 2007, fui entrevistado por um jornalista de uma grande revista americana. Ao término da nossa conversa, fiz o papel de entrevistador e indaguei: "O que você acha que falta aos movimentos sociais no Brasil?". Ao que ele me respondeu: "O problema de vocês é que vão para a rua e depois somem". Saí daquela conversa certo de que a análise era perfeita. Nossas ações são espasmódicas, e espasmo cívico não muda a história. Dar continuidade, nas ruas, às manifestações públicas é condição indispensável para que vençamos a crise política, econômica e moral.

No Brasil, já sofremos nas mãos de coronéis, imperadores, reis, ditadores e generais. São mais de quinhentos anos de desmando, opressão e abuso de autoridade. É inaceitável, em plena democracia, recebermos o mesmo tratamento do passado da parte de quem nos governa no presente — contudo, agora, na condição de meu e seu representante, eleito por você e por mim.

▼ ▼ ▼

Para ser útil, a democracia tem de ser aproveitada. Esse sistema de governo cria, como nenhum outro, as condições para homens e mulheres viverem em um Estado mais justo e eficiente. O escritor e economista indiano Amartya Sen,

174 | TEOLOGIA DA TRINCHEIRA

que ganhou o Prêmio Nobel de Economia por seu trabalho na área de bem-estar social, declara jamais ter havido caso de fome coletiva em uma democracia, e isso porque a classe governante teme o povo, que pode sacar do poder quem deixou de representá-lo.

Qualquer forma de regime totalitário torna possível que o povo pereça, sem a possibilidade de demover de seus cargos quem não vale nada. Não há fundamento para crermos que a farda torna um homem melhor. Melhor do que um presidente fardado é um cujo mandato esteja nas mãos de um povo livre e esclarecido.

A democracia, contudo, não funciona no automático. Ela propicia ao povo erguer a voz contra as injustiças praticadas pelos poderosos sem temer quem detém o poder. Isso não significa, contudo, que o povo o fará.

Votar é algo central. Podemos manter no cargo homens de bem, banir malandros da vida pública e dar acesso a cargos públicos para quem anseia, com honestidade e competência, servir à nação. Após as eleições, entretanto, temos de exercer o controle social sobre os eleitos. O poder corrompe, por isso a vigilância deve ser constante.

Votar e cobrar são duas formas de usar bem essa bênção chamada democracia.

▼ ▼ ▼

Entre as frases que se tornaram famosas nas manifestações que varreram o Brasil em 2013, há uma que procura ressaltar a importância do voto consciente: *Não adianta protestar como leão e votar como jumento*. Votar bem pode mudar o destino do país. Por meio dessa arma democrática, podemos banir da vida pública homens sem alma e dar oportunidade de governar a homens competentes e de espírito público.

TEOLOGIA DA *POLIS* | **175**

Votar como jumento, portanto, é a "jumentice" que destrói o país. O oposto, contudo, não pode ser esquecido: *De que vale votar como uma águia e protestar como um cordeiro?* É "jumentice", também, esquecer que o poder corrompe e pode levar à bancarrota moral homens que entraram na vida pública movidos por bons ideais. É possível o candidato bem-intencionado ser engolido pelo sistema, passando a viver em função da sua perpetuação no poder.

Conversei certa vez com um senador que me disse o seguinte: "Assim que cheguei ao Senado Federal, um político experiente me disse: 'Para chegar ao poder precisamos do povo, mas para permanecer nele precisamos do capital'. Descobri, na vida política, que o Brasil está nas mãos de cinco mil famílias ricas, que detêm mais de 60% da riqueza nacional". Não sei como o senador chegou a essa conclusão, mas é certo que ele está falando, em parte, a verdade. O *lobby* do rico no Congresso Nacional é poderosíssimo. No Judiciário e no Executivo não é diferente.

Isso mostra que precisamos votar com profundo sentimento cívico, compreendendo que, sem controle social, o poder sempre servirá ao poder. Estar nas ruas como leão é uma das formas mais eficazes de combate ao caráter corruptor do poder.

▼ ▼ ▼

Quando o Rio de Paz começou a fazer manifestações de rua, um policial civil me disse: "Se tem parada errada na sua vida, logo você receberá um telefonema de alguém que pedirá para você ficar calado". Naquele mesmo período, um policial militar, por quem tenho profundo respeito, apresentou-me um fato sobre o mundo político brasileiro: "Este é o país dos dossiês. Tem dossiê sobre todo mundo".

176 | TEOLOGIA DA TRINCHEIRA

Ele me chamava a atenção para a quantidade de políticos que estavam nas mãos de alguém, por esse alguém dispor de informações que obtivera de modo, obviamente, nada republicano. Recordo-me, logo após esses diálogos, que outro oficial da Polícia Militar, em quem confio, disse-me que um importante político do Rio de Janeiro estava no grampo da Polícia Civil. Ou seja, totalmente nas mãos de policiais que conheciam suas falcatruas.

Engana-se quem pensa que o grande problema da corrupção no mundo político seja o desvio de verba pública. É claro que isso causa efeitos deletérios na vida de milhões de brasileiros. Há quem desvie verba de merenda escolar e hospitais. Existe, contudo, outra consequência que passa despercebida pela maioria de nós, péssima para a democracia, que é a perda da autonomia política.

Muito do que precisa ser feito pelo Brasil afetaria diretamente os interesses políticos e econômicos de pessoas e grupos poderosos. Esses, por sua vez, conhecem os crimes daqueles que poderiam implementar o que traria dignidade de vida para número incontável de cidadãos brasileiros. Um telefonema, porém, aborta as melhores ideias. É por isso que não devemos deixar de exercer nosso papel de cidadãos. Protestar significa, muitas vezes, dar força política para quem não vale nada, mas cujos descaminhos não são do conhecimento público, nem do conhecimento da justiça.

Isso significaria criar a seguinte situação: "Olha, companheiro, se eu não atender essa multidão indignada, não tem nem para mim, nem para você".

▼ ▼ ▼

Hoje, mais do que nunca, os meios de comunicação informam e dão voz à sociedade. Claro que eles têm suas limitações. Alguns deles não cumprem seu papel social, pois estão por demais dependentes de verba pública e nas mãos do poder econômico. Mas ainda há jornalistas corajosos, com alguma expressão e autonomia, que dizem o que pensam. E vimos nascer, em anos recentes, um fenômeno importantíssimo: a conexão entre os cidadãos via Internet. Muitas pessoas agora buscam meios de se informar que fujam das grandes empresas de comunicação.

A sociedade está começando a acompanhar *on-line* os atos dos três poderes da república e não sem fazer cobranças, em grande monta por causa da atuação dos meios de comunicação. Isso tende a crescer nos próximos anos. No passado, vimos milhares de pessoas irem às ruas em manifestações relativas a temas de grande interesse nacional, tais como a campanha pela abertura democrática e o *impeachment* do presidente Fernando Collor. Agora, no entanto, vemos o povo nas ruas por causas de menor magnitude, mas que, nem por isso, deixaram de ser vistas pela população como temas de relevante interesse nacional. Foi o que ocorreu nos casos da Lei da Ficha Limpa, do Mensalão e do escândalo da Petrobras.

A sociedade em rede tem permitido a democratização do direito de livre expressão, conectando pessoas do país inteiro. Ela permite a desconstrução de mentiras plantadas. Os brasileiros estão exercendo sua cidadania por meio da organização ágil de manifestações, da publicação de petições e da reprodução de artigos publicados pela imprensa. Percebe-se claramente que as pessoas passaram a falar bastante sobre política nas redes sociais. Como se trata de gente comum, a linguagem desprovida de tecnicismos torna redondo o que é quadrado no entendimento de muitos.

178 | TEOLOGIA DA TRINCHEIRA

Esse fenômeno tem seus perigos, uma vez que não estamos falando de repórteres que podem ser demitidos por fazer uma reportagem sem base em fatos. Mas, sem dúvida, é um mundo mais arejado, no qual o veio jornalístico poderá se manifestar de modo surpreendente por intermédio de gente criativa e bem informada.

A conclusão é que a velha mentalidade política está sendo atropelada. Não se poderá mais exercer função pública no Brasil sem sentir medo. É um temor saudável, pois a classe política precisa sentir na carne onde reside a real fonte do poder numa democracia. Creio que está nascendo um Brasil bem diferente do que éramos anos atrás. O que é maquinado nos gabinetes em detrimento dos interesses do povo será proclamado dos telhados e ouvido por uma sociedade que não poupará quem está brincando tanto com a vida quanto com a democracia.

O impacto emocional da cidade

Tenho rodado muito pelo Brasil. Isso me permitiu aprofundar o conhecimento sobre o país. Sinto pena. A América portuguesa é encardida. Nossas ruas, calçadas e casas aparentam algo sujo, um cinza mesclado com paredes descascadas e moradias ainda por terminar e sem pintura. Construções malfeitas e de muito mau gosto. Ruas sem graça, praças sem vida, grama não aparada, esgoto a céu aberto, poluição dos carros... e tudo impressionantemente igual. Reina a mediocridade. Mesmo em municípios com Índice de Desenvolvimento Humano mais alto e mais bem tratados do ponto de vista da limpeza urbana, pode-se observar a falta de beleza, o arremedo, o que está por fazer. Estamos tão mergulhados na cultura do menosprezo pelo espaço público que não nos damos conta do melancólico cenário que nos cerca. A telha vai ficar quebrada, o lixo continuará espalhado pela rua, a placa permanecerá torta e ninguém observará. Fico a pensar se esse cenário deprimente não é internalizado pelo espírito humano.

O que nos resta fazer?

A curto prazo, dentro da nossa esfera de responsabilidade — no lar, na igreja, no quintal, no escritório, no condomínio —, lutar para que o Brasil se torne mais agradável de ver. Poderíamos também cobrar mais do poder público, a fim de que seja embargado tudo o que é disfuncional, que não se harmoniza ao entorno natural e causa violência aos olhos.

A longo prazo, após, quem sabe, resolver os graves problemas sociais que infelicitam a vida de milhares de pobres, planejar, pela primeira vez, nossas cidades, implodir bairros inteiros e fazer que a parte humana do país se harmonize à divina, aquela tão bela que Deus criou e entregou aos brasileiros para cuidar.

Cristianismo, envolvimento político e as leis

É impossível plantar igrejas na *polis* e não se envolver de uma maneira ou de outra com política. No livro *O discípulo radical*, John Stott defende que a Igreja, juntamente com o resto da sociedade, está inevitavelmente envolvida na política, que é "a arte de viver na comunidade". Para ele, os servos de Cristo precisam expressar o senhorio de Jesus em seus compromissos políticos, econômicos e sociais, e em seu amor pelo próximo, mediante a participação no processo político. Stott apresenta quatro caminhos de ação política por parte da igreja: orar, educar, agir e sofrer.

180 | TEOLOGIA DA TRINCHEIRA

Concordo com ele. Não há incompatibilidade entre compromisso pessoal e ação política, obras de filantropia e protesto a fim de que haja mudança sistêmica. Um precisa do outro. Quem trabalha em comunidades pobres é confrontado todos os dias com essa realidade. Por um lado, a demanda imediata requer a ajuda efetiva, pessoal e direta, tal como levar cesta básica para a casa de uma mãe pobre, abandonada pelo marido e com quatro filhos para criar. Por outro lado, temos de decidir bater à porta do poder público, a fim de que as autoridades façam o que nenhuma igreja está apta a fazer, como a limpeza e a dragagem de um rio de esgoto puro que corta a favela, no qual crianças nadam por falta de acesso a áreas de lazer.

Tudo isso está intimamente ligado à evangelização. Stott defende que, quando os cristãos se importam uns com os outros, e com os pobres, Jesus Cristo se torna mais visivelmente atraente. Na verdade, a compaixão pelo pobre é uma das metas principais do evangelismo. Somos justificados pela graça mediante uma fé que precisa ser justificada pelas obras. E a principal obra da fé é o amor misericordioso.

Essa é uma questão que deve confrontar todo plantador de igreja e evangelista: que tipo de cristão queremos que surja como consequência dos nossos esforços evangelísticos? Estamos nos dedicando a plantar e nutrir que tipo de igreja? Martin Luther King Jr. baterá à porta da casa do membro da sua igreja, chamando-o para marchar com ele contra a segregação racial, e ele vai se recusar porque só consegue ver o cristianismo relacionado a convidar pessoas a participar do grupo pequeno da igreja?

Que esperança podemos ter de que essas mudanças ocorram num mundo caótico como o nosso, composto, em sua maioria, por pessoas não regeneradas? A mesma

TEOLOGIA DA *POLIS* | **181**

que levou homens e mulheres no passado a sonhar com a democracia, o fim de regimes absolutistas, a liberdade da mulher e o término da escravidão. O que não podemos é usufruir desse legado, que custou o sangue de muitos, e fincar o pé num pessimismo injustificável, por ser desalmado e não resistir aos fatos históricos.

▼ ▼ ▼

A organização social alcança seu ápice na história da humanidade na queda do governo absolutista e na entronização da autoridade da lei democraticamente estabelecida. Houve época em que homens apresentavam-se como enviados dos céus para determinar, de modo autoritário, o destino de vidas humanas. Pessoas eram espoliadas de seus bens, impostos abusivos minavam a renda de trabalhadores, jovens eram lançados em guerras sem sentido, camponeses gemiam no frio e no calor sem ter a quem clamar. São incontáveis os flagelos impostos por esse tipo de organização política, com o aval de lideranças religiosas que usavam o nome de Deus para a manutenção da irracionalidade de um sistema estribado na autoridade de um enviado divino que escravizava aquele a quem Deus criara.

Houve quem olhasse para esse modelo de organização social opressor e percebesse sua falta de sentido. Por que ficar sujeito à vontade de um deus que defeca, urina, morre de câncer de próstata, participa de bacanais e usa sua autoridade de modo inquestionável para servir-se do sistema, enquanto pessoas derramam literalmente o sangue para a preservação do que as avilta? Nem segurança, nem liberdade, apenas uma vida não tão ruim quanto a completa anarquia do caos da luta de todos contra todos.

182 | TEOLOGIA DA TRINCHEIRA

Os regimes absolutistas foram sobrepujados por outro modelo de organização política em que o rei não daria mais a palavra final, mas, sim, as leis estabelecidas por representantes do povo: a democracia. Os cidadãos passaram a se ver como iguais perante o próximo e perante a lei e começaram a ter a quem apelar. Instituições foram criadas para preservar a segurança e a liberdade dos membros voluntariamente pactuados em torno de uma constituição estabelecida pela vontade do povo, a fim de gerar felicidade ao maior número possível de pessoas. Sei que parte do que está sendo falado, na prática, não funciona como gostaríamos que funcionasse, mas, pelo menos, muita injustiça foi eliminada. Se um Herodes aparecesse, hoje, na sacada de um palácio como um semideus, certamente seria menosprezado pelo povo, que exigiria sua deposição do cargo.

Se um regime absolutista se transforma em um Estado regido por uma constituição, o mundo pode melhorar. O pessimismo de milhares de cristão brasileiros não resiste aos fatos históricos. Não estou dizendo que o mundo de hoje é o ideal, muitos menos afirmando que não houve retrocessos, mas é fato inquestionável que vivemos uma vida melhor que nossos antepassados viveram na Europa antes da Revolução Francesa. Essas conquistas não foram obtidas sem fadiga física e intelectual. Pessoas morreram pelo ideal democrático e outras dedicaram anos de reflexão aos temas de igualdade, liberdade e fraternidade. Devemos ser gratos àqueles que, no passado, mediante sangue, suor e lágrimas, lutaram para nos legar um mundo mais justo. O que estamos fazendo pela próxima geração?

Não resta dúvida de que é nossa obrigação moral, como cristãos, conhecer a Constituição federal brasileira. A luta pela justiça social, consequência imediata da mais simples assimilação do verdadeiro evangelho, depende da compreensão do ordenamento jurídico que rege o Estado. Afinal, sem o conhecimento dos direitos e das garantias fundamentais do povo brasileiro, bem como das instituições que os resguardam, não saberemos o que cobrar, a que instituição apelar e a quem pressionar para que a justiça seja feita. Não devemos ser alfabetizados para ler a Bíblia? Devemos igualmente conhecer a Constituição do nosso país para exercer nossa cidadania. A nossa lei suprema tem muito do conteúdo da mensagem dos profetas, dos apóstolos e do próprio Cristo. Trata-se de uma constituição belíssima, sob vários aspectos. Não é uma obra acabada, mas, certamente, trata-se de um documento que, caso aplicado por nós, brasileiros, à vida do país, daria fim a muita desgraça.

Milhares de brasileiros não têm o mínimo respeito pela igreja; consideram os cristãos alienados, ingênuos e moralistas. Quando essa gente nos vir tanto na favela quanto no palácio do governo, com as Escrituras e a Constituição federal abertas nas mãos, lutando, acima de tudo, pelo pobre e explorado, certamente descobrirá a beleza da fé cristã.

Gostaria que o engajamento da igreja na luta pela justiça social extirpasse do Brasil a miséria e a violação dos direitos humanos, a fim de possibilitar o básico: que pessoas passassem a ter tempo para ler, tomar café com os amigos, apreciar obras de arte, praticar seu *hobby* e conhecer mais a Deus. Somos milhões de brasileiros que se reúnem todo domingo para cultuar a Cristo. Temos tudo nas mãos. Basta começar.

Conclusão

Sou um cristão absolutamente fascinado pela fé. Não saberia viver de outro modo, nem mesmo sei como há quem consiga. Não estou dizendo que nós, cristãos, somos superiores a quem não crê como nós, mas herdamos de modo misterioso o dom da fé. Dom. Presente. Uma convicção que entrou em mim e tornou tudo claro. Não sei como bilhões não a possuem. Eu a possuo porque ela me possuiu. Por isso, sou eternamente grato a Deus, não por crer nele, mas por poder vê-lo como o Pai que perdoou meus pecados em Cristo e, por pura graça, me adotou em sua família.

O cristão é mais que alguém preocupado com a moral; é alguém que viu Deus pendurado na cruz, na pessoa do seu único Filho. O Deus majestoso resolveu se revelar ao homem pelo seu oposto, o Deus em fraqueza, abandono, sede, dor. A visão do Deus ofertante — que oferece Cristo ao pecador a fim de que o pecador possa oferecer Cristo a Deus — num mundo em que os homens procuram comprar o cuidado divino com suas ofertas, sempre deixa marcas eternas na vida daqueles que tiveram os olhos do coração iluminados pelo Espírito Santo.

O evangelho da cruz fez o fardo do pecado ser removido dos ombros do cristão. Quem é o cristão? É justamente aquele que foi levado pelas garras da lei ao inferno, mas, carente de um Deus que lhe fosse propício, descobriu na cruz um Deus que lhe sorria e abolia sua própria lei, usando-a para emancipar o homem do seu domínio, a fim de que pudesse viver na liberdade dos filhos de Deus. Esse ponto é central no cristianismo. A lei pede que o pecado seja punido. O pecado foi punido na pessoa do Filho de Deus. A lei matou quem a cumpriu. Agora ela tem de silenciar perante aquele que, unido a Cristo pela fé, se apropriou da redenção conquistada de modo justo na cruz. E, assim, Deus matou a morte na morte de Cristo.

Hoje, o cristão sai pelo mundo para viver a vida que Cristo o chama a viver, tomado de encanto pela condescendência de Jesus, pelo alto preço que foi pago pelo seu resgate e pela excelência do meio de salvação — que jamais passou pela mente humana. Livre da lei! Vitorioso sobre o inferno, o Diabo e a morte, o cristão vive uma vida de arrependimento diário e ininterrupta apropriação do perdão divino. Agora, ele é livre dos dramas infernais de consciência e das atitudes infantis de comprar o amor de Deus com a prática de tolices inviabilizadoras da verdadeira vida.

Qual é o resultado dessa redenção? Sobra ao cristão, agora, tempo para cultivar a alma, buscar iluminação para a mente, encarnar a vida de Cristo, dar voz aos sem voz, juntar-se aos demais cristãos para levar o evangelho todo para todo homem e para o homem todo, e engajar-se em atividades públicas, a fim de que as instituições sociais não sejam mais instrumentalizadas pelo Diabo. Como disse Jesus, "O ladrão vem somente para roubar, matar, e destruir; eu vim para que tenham vida e a tenham em abundância" (Jo 10.10).

Notas

Introdução

[1] Antônio Carlos Costa. *Convulsão protestante* (São Paulo: Mundo Cristão, 2015).

Capítulo 1

[1] Martinho Lutero. *Martinho Lutero: obras selecionadas* (São Leopoldo: Sinodal, 2008), p. 142.

[2] Com isso, não estou afirmando que o cristianismo fomente o ódio religioso ou a cooperação entre pessoas das mais diversas religiões visando ao bem comum. O que sustento, à luz das Escrituras, é que o cristianismo não ensina que todos os caminhos levam a Deus. Há diferenças profundas, por exemplo, entre o Pai de Jesus Cristo e Alá.

[3] Tomás de Kempis. *Imitação de Cristo* (São Paulo: Paulus, 1976), p. 13.

Capítulo 2

[1] J. C. Ryle. *Santidade* (São José dos Campos: Fiel, 1987), p. 60-62.

[2] Charles Hodge. *Teologia sistemática* (São Paulo: Hagnos, 2001), p. 87-88.

188 | TEOLOGIA DA TRINCHEIRA

Capítulo 3

[1] Abraham Kuyper. *Calvinismo* (São Paulo: Cultura Cristã, 2002), p. 62-63.

[2] Blaise Pascal. *Mente em chamas* (Brasília: Palavra, 2007), p. 69.

[3] *O discípulo radical* (Campinas: Ultimato, 2011).

[4] André Biéler. *O pensamento econômico e social de Calvino* (São Paulo: Cultura Cristã, 2012). Os trechos reproduzidos foram extraídos das páginas 299, 386, 445, 448, 461, 485 e 603.

Capítulo 4

[1] João Calvino. *As institutas*. Tomo 1 (São Paulo: Casa Editora Presbiteriana, 1985), p. 67.

[2] Peter Berger. *A construção social da realidade* (Petrópolis: Vozes, 1985), p. 205.

[3] *Confissão de fé de Westminster* (São Paulo: Cultura Cristã, 2005), p. 26, 30.

[4] Blaise Pascal. *Pensamentos* (São Paulo: Edipro, 1996), p. 11.

[5] Idem, p. 153-154.

[6] William Shakespeare. *Teatro completo: tragédias e comédias sombrias* (Rio de Janeiro: Nova Aguilar, 2006), p. 793.

[7] Tomás de Kempis. *Imitação de Cristo* (São Paulo: Paulus, 1976), p. 12.

Capítulo 5

[1] Michael J. Sandel. *Justiça: o que é fazer a coisa certa* (Rio de Janeiro: Civilização Brasileira, 2011), p. 325,328-329.

[2] Tony Judt. *O mal ronda a terra* (Rio de Janeiro: Objetiva, 2010), p. 171.

[3] Disponível em: <http://g1.globo.com/ma/maranhao/noticia/2014/01/lobao-filho-diz-ser-equivoco-priorizar-direitos-humanos-de-presos.html>. Acesso em: 13 de jul. de 2016.

Sobre o autor

Antônio Carlos Costa é fundador da ONG Rio de Paz (filiada ao Departamento de Informação Pública da ONU), jornalista, teólogo e plantador e pastor da Igreja Presbiteriana da Barra, no Rio de Janeiro. Mestre em História do Cristianismo pelo Centro de Pós-Graduação Andrew Jumper, é doutorando em Teologia pela Faculté Jean Calvin, em Aix-en-Provence, na França. É casado com Adriany e pai de três filhos: Pedro, Matheus e Alyssa.

Conheça outra obra de
Antônio Carlos Costa

- Convulsão protestante

Veja mais em:

Compartilhe suas impressões de leitura escrevendo para:
opiniao-do-leitor@mundocristao.com.br
Acesse nosso *site:* www.mundocristao.com.br

Equipe MC:	Ester Tarrone
	Heda Lopes
	Maurício Zágari
	Natália Custódio
Diagramação:	Luciana Di Iorio
Preparação:	Cristina Fernandes
Revisão:	Josemar de Souza Pinto
Gráfica:	Imprensa da Fé
Fonte:	Adobe Garamond
Papel:	Chambril Avena 70 g/m^2 (miolo)
	Cartão 250 g/m^2 (capa)